MON VRAI JOURNAL

Jean-Marie Messier
avec Yves Messarovitch

MON VRAI JOURNAL

Éditions Balland

33, rue Saint-André-des-Arts
75006 Paris

Des mêmes auteurs

Jean-Marie Messier

J6m.com : faut-il avoir peur de la nouvelle économie?
Hachette Littératures, 2000.

Yves Messarovitch

La passion créative : entretiens avec Bernard Arnault, Plon,
Paris, 2000.
Et pourquoi pas?, avec Ivan Levaï et François Michelin,
Grasset, Paris, 1998.
Le grand gâchis : l'État contre les classes moyennes, Grasset,
Paris, 1996.
*Quand les autruches relèveront la tête : entretiens avec Alain
Madelin et Joseph Macé-Scaron,* Laffont, Paris, 1995.
Le piège : entretiens sur quelques idées reçues, avec Jimmy
Goldsmith, Fixot, Paris, 1994.
L'Économie internationale en mouvement 1991-1992, sous
la direction de Yves Messarovitch et Pierre Vallaud,
Hachette Littératures, Paris, 1991.

Pour Anne-Laure, Claire-Marie,
Jean-Baptiste, Nicolas et Pierre,
hérauts de l'avenir.

« À chaque effondrement des preuves,
le poète répond par une salve d'avenir. »

René Char – *Fureur et Mystère*

« Déchiré mon cœur déchiré mes rêves
Que de leurs débris une aube se lève
Qui n'ait jamais vu ce que moi j'ai vu. »

Louis Aragon – *Poèmes*

Prologue

En cette année 2002, Vivendi Universal a quitté, hélas, la rubrique « économie » pour celle, plus croustillante, du *people*, version « revers de fortune ».

À la baisse très brutale des cours, qui a tout particulièrement affecté les actionnaires et les salariés du groupe, s'est mêlée une succession de prétendus scandales, le plus souvent constitués de toutes pièces : Vivendi se « serait » livré à des manipulations comptables majeures, ses dirigeants « auraient » commis des indélicatesses à leur profit personnel. Vivendi, pendant français du scandale américain d'Enron... Dévastateur. Ajoutons à ce scénario peu glorieux un étonnant remake de *Dallas* au sein même du Conseil, entre administrateurs américains et européens, plus un gros soupçon de politique politicienne à la française. Le tout repeint façon « glamour » compte tenu des métiers du groupe (cinéma, télévision, musique, jeux vidéo notamment). Des métiers qui font rêver, riches de leurs caractéristiques hors du commun et de leurs paillettes. Sans oublier ma propre surexposition médiatique, et vous aurez tous les ingrédients d'une saga hollywoodienne.

La chute de l'histoire est connue. J'ai décidé de partir au terme d'une « vraie-fausse » OPA soldée, sans *cash*, *discount*, une prise de contrôle du groupe sans offre faite aux actionnaires. Bref, à l'arrivée, une mauvaise saga, où ont été oubliés les hommes, les salariés, les métiers de l'entreprise et l'ambition d'avoir enfin un leader français et européen dans ces métiers d'avenir que sont la communication, l'éducation et les loisirs. Car il est évident que notre avenir se joue sur la culture.

Alors, comment en est-on arrivé là ? Où est l'info, où est l'intox ? À quoi correspondent ces manœuvres ourdies dans l'ombre, ces rumeurs ou insinuations continuelles ? Menées par qui ? Pour qui ? J'ai commis des erreurs. Oui ! Et je ne les cacherai pas.

De tout cela, j'ai choisi de témoigner sans fard. En racontant les faits, d'abord les faits. Pour notre million d'actionnaires individuels, pour nos trois cent mille salariés. Durant ces six mois de crise, où j'ai eu l'impression de faire la course, à la fois sprint et marathon, au milieu d'un tremblement de terre, ce sont eux qui comptaient le plus dans mes préoccupations. Ayant investi dans l'entreprise mon épargne – et au-delà – j'ai chuté et perdu – lourdement – avec eux. Je leur dois cette contribution à la vérité.

J'écris aussi pour témoigner de la réalité et du potentiel de Vivendi Universal. Pour dire que Vivendi Universal, c'est l'histoire d'un groupe ambitieux, animé d'une vraie vision industrielle, mais qui a commis une erreur : ne pas aller au bout de sa transformation en vendant les métiers de l'environnement qui méritent cette autonomie. Nous nous sommes alors fait rattraper par des marchés catastrophiques. Nous avons, les premiers, payé les pots cassés, avec un impact décuplé parce que – par ma faute, en partie – nous étions plus exposés médiatiquement. Les dissensions au sein du Conseil et le gel des initiatives qui en a résulté, les manœuvres et les rumeurs affairistes ont accéléré ce processus. Rien de ce qui doit être fait pour traverser cette crise temporaire n'est contraire à ce que nous avions engagé. Mais une coalition d'intérêts hétéroclites a profité de ce moment difficile pour me pousser vers la sortie. C'est une histoire de dettes et pas de fraude. Vivendi a été victime de la conjoncture, de choix de gestion mais pas d'artifices ou d'illégalités. Ses actifs ont une vraie valeur. Victime mais pas spolié. Victime, également, de rumeurs dramatiques et insidieuses sans lesquelles, malgré les erreurs et les marchés, VU n'aurait jamais connu la crise de l'été 2002. J'en suis convaincu. Les faits le montrent. C'est donc aussi une histoire de pompiers pyromanes plus que de héros. Un « polar capitalistique ».

J'écris enfin parce que je n'ai rien à cacher ! Voici donc « mon vrai journal » à la tête de ce groupe. J'en assume le projet, la vision, comme les erreurs. Journal passé, présent, futur... Aujourd'hui simple témoin, j'essaie de poser quelques jalons.

Et pour cet avenir, il faut aller au-delà de Vivendi Universal. Les marchés sont fous ! Les actionnaires fidèles en subissent les conséquences. Les cours de très nombreuses valeurs, en chute libre, ont été divisés en deux ans par dix, parfois par cinquante ! Inimaginable et effrayant lorsque cela touche des secteurs entiers de l'économie. Ce n'est pas un hasard si la plupart des patrons de groupes médias et télécoms ont dû quitter leurs responsabilités : Gerry Levin et Bob Pittman chez AOL, Thomas Middelhoff chez Bertelsmann, Ron Summer chez Deutsche Telekom, Michel Bon chez France Telecom, Tim Koogle chez Yahoo, etc. Aucun de ces patrons n'a, apparemment, commis de fraude. Ces départs sont la conséquence de l'effondrement des cours de bourse et des attentes déçues par le retard des nouvelles technologies. Peu d'observateurs trouvaient à redire aux cours démentiels atteints en bourse il y a deux ans. Pouvait-on alors rester hors course ? Qui doit aujourd'hui supporter la responsabilité de l'effondrement des bourses ? Les patrons ? Les médias ? Les fonds spéculatifs ? Les agences de notation ? Les financiers ? Les politiques ? Le dérèglement de nos économies ? À qui profite le forfait ? Et comment réagir ?

Quelles leçons tirer de cette aventure ? Notre planète, notre système économique peuvent-ils s'en sortir ? Et comment ? Le monde prend peur. Que faire pour lui rendre espoir et optimisme ? Pour nous et pour nos enfants.

Et puis, sur le plan personnel, traverser une telle épreuve, c'est dur. Du jour au lendemain, le vide... En étant écœuré, meurtri, culpabilisé vis-à-vis des salariés et des actionnaires. En souhaitant ensuite apporter ma part de vérité. En comprenant qu'un échec assumé renforce et que la seule vraie revanche qui vaille est celle qu'on mène sur soi-même. En ressortir, moralement, c'est forcément regarder devant soi, à l'image de cette phrase de René Char : « À chaque effondrement des preuves, le poète répond par une salve d'avenir. » Ni revanchard, ni parano, ni tourné vers le passé, ce livre est aussi un hymne à l'optimisme malgré tout, à l'avenir. Même s'il est peuplé de loups !

Lukas, le loup

« L'homme est un loup pour l'homme. »

Fraîchement installé à New York, mon premier déjeuner, le 4 septembre 2001, une semaine avant les attentats qui vont déstabiliser encore un peu plus vite notre planète, est pour Hélène Grimaud.

Hélène, pianiste de trente-sept ans, d'origine française, est née à Aix et vit aux États-Unis depuis son adolescence, par choix. C'est sans doute la plus douée mais aussi la plus rebelle de sa génération, même si, bien sûr, d'autres talents, comme Claire-Marie Le Guay, mériteraient d'être mentionnés.

Plus souvent en jean au milieu de la forêt qu'en robe Dior dans les cocktails, elle dégage une force intérieure et une émotion exceptionnelles, faites de sensibilité et de violence parfois. Je souhaite aider Chris Roberts, patron d'Universal Music Classics (qui réunit entre autres les labels Deutsche Grammophon et Decca) à convaincre

Hélène de changer de maison de disques et de signer chez nous. Nous avons « envie » (mot tellement important dans les relations avec les créateurs et les artistes) d'elle, de son projet musical. Jeune, belle, différente, charismatique, elle peut devenir l'un des très rares artistes de musique classique à transgresser les barrières, à imaginer d'autres formes que le concert pour attirer les jeunes, inventer ce public de demain sans lequel déclin et sclérose sont assurés. Je tente de la convaincre qu'avoir un « patron » du groupe aimant passionnément la musique classique est une occasion formidable pour elle d'aller plus loin, de travailler à ce renouveau... qu'elle « doit » nous rejoindre.

Et puis, je ne peux m'empêcher de l'interroger sur son autre passion connue : les loups. Hélène m'explique : une fibre écologique l'amène à vouloir restaurer l'image d'un prédateur décrié depuis des siècles. Songez à *Pierre et le loup* de Prokofiev qui se termine sur la dépouille de la bête ramenée triomphalement au village. Or les comportements sociaux des loups solitaires et en meutes sont assez proches des humains. Elle me raconte la passion avec laquelle elle se consacre, en plus de sa carrière musicale, là, à une heure de New York, à ses loups et à un centre éducatif. Je ressors de ce déjeuner conquis, heureux de la perspective d'attirer un nouveau talent, mais également intrigué, dérangé même dans mes « certitudes » !

21 novembre 2001. Hélène a décidé de nous rejoindre. Au fil de nos contacts, le vouvoiement est imperceptiblement passé au tutoiement de génération. Nous sommes convenus de parler de son projet musical à l'occasion de la signature de son contrat et de le faire chez elle, dans son repaire. Arrivée aux environs de Wor-

chester, par un temps froid, menaçant. Montée chez elle au milieu de la forêt. Et, plus loin, près de la maison, l'enclos des loups.

Deux heures s'écoulent. Hélène se tourne vers moi : « Je vais voir les loups, ça te dit ? » On enfile vite fait un bleu (en l'occurrence un « jaune ») et nous voilà parvenus le long de l'enclos dans lequel vivent les trois loups. Kaila, Apache et Lukas. Elle me précise les règles de la meute : le premier est l'ambassadeur, celui qui accepte les contacts extérieurs, renseigne la meute. C'est Apache, un magnifique loup blanc qui remplit ce rôle. Effectivement, au bout de quelques minutes, l'animal s'approche de la clôture, reconnaît Hélène, puis lance vers l'étranger que je suis un regard empreint de curiosité et de méfiance. Nous continuons à parler de leurs rites. De la défense de leur territoire. Même en meute, en collectivité, chacun protège son pré carré et délivre pour cela des signes qu'il faut savoir interpréter pour être autorisé à le traverser ! Toute analogie avec la vie humaine serait... exacte. Méconnaître ces signaux peut être très dangereux ! Nous évoquons la peur du contact avec l'homme. Même si chacun de ces loups a été élevé dès les premiers mois avec une présence humaine permanente pour les sensibiliser, loups ils sont, loups ils resteront. Et le fait est que, à l'exception de l'ambassadeur, les autres demeurent à l'écart, au bout du terrain.

Une demi-heure plus tard, Lukas et la femelle Kaila s'approchent pas à pas. Vient la proposition inattendue :

« C'est très inhabituel qu'ils acceptent de s'approcher d'un étranger », s'étonne Hélène. « Je dois vérifier l'intérieur de l'enclos, tu viens ? »

Ouh ! Mais l'envie est plus forte que la peur. Cela doit se sentir.

« ... Oui. »

Je passe ainsi près de deux heures au milieu des loups, sans autre protection que la confiance dans la sensibilité et l'expérience d'Hélène. Mouvements lents, longs arrêts, attente des fameux signes, frisson de sentir le prédateur derrière soi, à moins d'un mètre. La neige se met à tomber. Ce n'est plus la réalité mais le rêve et le fantasme vécus! Une demi-heure d'approche et de reculades, de tensions et de décontraction. Lukas vient au contact d'Hélène, pose une patte sur sa jambe et me fixe de ses yeux jaunes d'une intensité inimaginable. Je le devine me dire : « Elle, je l'ai acceptée. Je te le montre. Si tu bouges ou perturbes cette relation, gare à toi. » Puis une autre demi-heure intense. Enfin, Lukas vient au contact de ma main, attitude très exceptionnelle chez lui.

J'ai ressenti ce matin-là l'une des plus belles et plus fortes émotions de ma vie.

Pourquoi commencer ce livre par cette anecdote, loin des responsabilités du chef d'entreprise?

Parce que les loups tolèrent les prédateurs venant d'autres espèces, mais pourchassent ceux qui leur font concurrence pour le contrôle de leur territoire. Comme les hommes.

Comme patron de Vivendi Universal, j'ai peut-être oublié, par excès de confiance, méconnaissance ou inattention, que les loups peuvent parfois attaquer. Les hommes-loups plus que les animaux d'ailleurs...

L'histoire de Vivendi Universal, mon histoire, c'est aussi celle d'un monde entre capitalisme et rêves, *cash flow* et série noire.

1996-2002. Six ans d'efforts appuyés sur une vraie vision industrielle. Six ans pour créer, à partir d'un champion très français de l'environnement, deux champions mondiaux, l'un pour la protection de notre environnement et l'autre pour le développement de la communication et des médias. Six années à marche forcée parce que l'Europe a pris un énorme retard pour bâtir un champion des médias. Un effort soutenu par une conviction forte : les métiers de contenus nécessitent, eux aussi, de s'appuyer sur une vision globale tandis que les technologies nées de l'internet démultiplient l'offre proposée aux consommateurs. Un effort soutenu par les marchés : jusqu'en mars 2002, Vivendi Universal fait mieux (ou moins mal) que ses concurrents cotés en bourse. Soutenu enfin par une vitesse d'exécution qui permet de réunir tous les talents et compétences nécessaires à cette vision.

Mais, en quelques mois, en cette année 2002, tous ces soutiens disparaissent brutalement. Les outils de la convergence sont en retard et la vision s'en trouve automatiquement contestée. Les marchés s'effondrent, livrés aux rumeurs et aux spéculations. Les dissensions s'installant au sein du conseil handicapent notre vitesse d'exécution. L'achèvement de notre transformation, qui ne peut passer que par la séparation totale de l'environnement et des médias, est remis en cause.

Nous rattrapent alors inexorablement des tensions de trésorerie, se traduisant par une crise de liquidité mais pas de solvabilité. Une crise temporaire et limitée au regard de la taille du groupe, mais bien réelle durant l'été. Nous sommes affectés par nos propres erreurs ou notre « complexe du bon élève » voulant toujours tout expliquer, justifier au risque de lasser, voulant toujours « bien faire » pour avoir le cours de bourse le plus favorable. Mais nous sommes aussi gelés dans nos initiatives par le climat de rumeurs et de déstabilisations multiples, au moment même où le groupe devait, et qu'il le pouvait, réagir face au retournement des marchés. Les manipulations étaient devenues pain quotidien, attisées par un climat d'hystérie sans précédent aux États-Unis et, par contagion, en Europe. Cette dramatisation a conduit à négocier mon départ au lieu de négocier avec les banques. Elle a, en outre, mi-août, amené à noircir à l'excès les perspectives opérationnelles du groupe.

Ceux qui voulaient « la peau de Messier » l'ont eue. Je porte ma part de responsabilité, c'est évident. Mais qui profite de ce dénouement ? Les actionnaires ? Les cours ont continué à baisser. Les salariés ? Licenciements et cessions hâtives se sont succédés. Jamais une histoire d'entreprise n'avait autant eu la « faveur » de la Une des journaux, ni n'avait connu de tels déchaînements de la part des médias, des politiques et des milieux d'affaires. Un vrai lynchage...

... Jusqu'à ce jour, 1er juillet 2002, où j'ai dû dire : « Je pars pour que Vivendi Universal reste ! »

Première partie

Main basse sur Vivendi Universal

Chapitre I
Courage, il faut partir

> « Et lorsque vint le temps de l'adversité,
> ils furent tous pris de courage... contre
> celui qui tombe. »
>
> Lord Byron

Dimanche 30 juin 2002. La nuit est tombée. Moi aussi. C'est fini. Ma décision de quitter Vivendi Universal, après six ans de Présidence, est prise. Dans l'intérêt du groupe, de ses salariés et de ses actionnaires. Pour permettre que cesse cette chasse à l'homme épuisante, qui dure depuis six mois, que s'assèche ce torrent de rumeurs, d'amalgames et de déstabilisation incessante. Pour que le groupe puisse agir. Pour que les négociations avec les banquiers, trop longtemps différées dans cet odieux climat, puissent reprendre. Pour que les actionnaires retrouvent la vraie valeur de leurs titres au fil du temps.

Il est 2 heures du matin. J'ai renoncé à me battre devant la multiplicité des attaques, des coups et des bassesses. Et surtout parce que c'est Vivendi Universal qui importe et que je ne supporterai pas d'être une gêne dans une période difficile où les dirigeants doivent être soutenus et non tirés comme des lapins.

Suis-je amer? Oui et non. Oui, devant le cortège des pompiers pyromanes, la somme de lâchetés qui ont conduit à cette situation. Nous y reviendrons. Oui, encore, en pensant aux enthousiasmes partagés des équipes et des salariés qui vont avoir le sentiment d'une ambition brisée et trahie.

Non, car je crois en Vivendi Universal et en ses performances, ses équipes et sa valeur. Si mon départ peut leur servir à elles et elles seules, alors je dois l'assumer. Comme partie intégrante de ma responsabilité.

Non, car je crois qu'une vie d'homme doit s'écrire aujourd'hui au pluriel. C'est ce que j'apprends à mes enfants. La vie est devant!

Mais j'en ai gros sur le cœur. Un peu assommé dans mon bureau, la nuit tombée, j'ai demandé à rester seul. Pour en percevoir chaque pouce, m'en imprégner « une fois pour toutes ». Point de nostalgie ni de regret, mais du dépit, de la fureur, et de la tendresse aussi, à cet instant précis où je joins enfin ma seconde fille, en camp aux États-Unis, qui rentre de l'hôpital après une mauvaise chute. Je l'écoute me rassurer sur sa blessure. Elle me ramène à la réalité. Mais je ne lui dis rien de ce qui vient de se passer à Paris, car ce sont des sujets dont on discute de vive voix, et face à face, pour expliquer, rassurer. Je l'écoute, parle avec elle, m'attendris. Elle est la « vraie » vie.

Je rentre me coucher. De quoi sera faite la journée suivante? Je la crains folle, agitée. Il n'en sera rien.

Lundi 1ᵉʳ juillet. Le matin, j'informe le cercle des principaux dirigeants du siège. Rapidement, pour ne pas laisser l'émotion s'installer et prendre le dessus. Et surtout ne pas déclencher d'oraison funèbre en retour.

Puis, conformément à mes engagements, je convoque le Conseil pour le 3 juillet et démissionne de ma fonction de PDG de Vivendi Universal. Je donne à l'équipe du *Figaro* ma dernière interview en fonction. Lorsque je reçois les journalistes dans notre salle à manger du septième étage, à la décoration un peu « japonaise », autour d'un déjeuner froid et d'une bouteille de vin de Provence, je me sens à la fois terriblement malheureux, mais détendu – la décision prise, le fait accompli – et déterminé : il faut expliquer le pourquoi et surtout poser les pierres autour desquelles le jugement du futur se bâtira progressivement. Expliquer aux salariés et aux actionnaires.

J'ai décidé de remettre cette semaine, mon mandat à la disposition du conseil d'administration malgré le soutien que m'a apporté celui-ci, il y a huit jours seulement. La raison est simple. J'ai façonné ce groupe avec mon équipe. Je l'aime passionnément. Mais il y a une vérité incontournable. On ne dirige pas une entreprise avec un conseil divisé. J'ai souhaité mener à bien, ces derniers jours, des opérations importantes pour le groupe : la cession d'une partie des titres Vivendi Environnement, celle de nos activités de presse professionnelle et de notre participation dans Vinci qui ont ramené au total près de 4 milliards d'euros dans les caisses. L'association de défense des actionnaires minoritaires a été déboutée devant le Tribunal de commerce de Paris. Enfin, la décision du Conseil d'État nous a été favorable sur Canal+. Tout cela constitue un ensemble de choses importantes pour le groupe qui s'ajoute à ses bons résultats opérationnels. J'ai décidé de partir juste après la réalisation de ces opérations afin de montrer que la vie de l'entreprise est une question de stratégie et pas une question d'hommes. Ce que j'espère, c'est que le marché laissera à mon successeur ce qu'il ne m'a pas donné, un peu de temps pour agir dans la sérénité. Ma conviction profonde, c'est que l'avenir ne se joue pas sur la technologie, mais sur la culture. Qu'une entreprise française soit devenue leader mondial de la musique, leader mondial du cinéma, est un acquis extraordinaire.

Grâce à Vivendi Universal, la musique européenne est redevenue européenne plutôt qu'américaine. Grâce à Vivendi Universal, une entreprise française est numéro deux mondial dans l'édition scolaire. Ce n'est pas rien.

J'ai pu mesurer toute la difficulté à assumer les relations franco-américaines. Je crois qu'être présent de part et d'autre de l'Atlantique fait la force et l'originalité de Vivendi Universal. Renoncer à cela, ce serait renoncer à la grande ambition d'un groupe français dans le monde. C'est ce qui est en jeu aujourd'hui.

Si des décisions saines sont prises, le cours de Vivendi Universal va monter durablement, inéluctablement. Je m'en réjouis. Au fil du temps, les marchés ne vont pas seulement réagir à la fin des dissensions. Ils vont aussi réagir à la fin d'un certain nombre de manipulations qui ont eu, chaque jour, pour effet de saborder l'entreprise, sa stratégie, son cours. Ce soir, « mon » dernier cours est de 23,9 euros, à peu près le même que lorsque j'ai pris la présidence. Ironie.

J'écris donc mon message à tous les salariés du groupe. Il leur sera adressé le lendemain, mardi 2 juillet. Avec les mots du cœur. J'y commente[1] les raisons de mon

---

1. La lettre se trouve in extenso en annexe.

départ : « Un véritable déchirement personnel [...] Ce groupe, je l'ai voulu, je l'ai construit, parce que j'y crois. Et je continue à y croire. Je pars pour que Vivendi Universal reste. »

Le soir, pendant une heure, j'explique tout cela aux dix principaux dirigeants du groupe, en particulier ceux en charge des métiers, des équipes et présents à Paris : Agnès Touraine pour les jeux, l'éducation et la littérature, Philippe Germond pour les télécoms, Pascal Nègre pour la musique, Agnès Audier pour l'internet. Je vois beaucoup d'émotion chez les uns et les autres face à cette aventure brutalement arrêtée ; des yeux mouillés. À la sortie, Guillaume Hannezo me prévient : l'agence de notation Moody's va encore dégrader la note de VU – la « note » c'est l'appréciation de la qualité de notre dette et donc la capacité à la faire financer par les banques –, de manière plus sévère qu'attendu. Mais pas de réelle surprise : c'est avec les banquiers qu'il aurait fallu travailler afin de conclure ce week-end un accord de financement ou de refinancement, et non pas pour régler les détails du « coup d'État », ou plutôt du « coup d'entreprise » de la semaine.

J'informe une dernière fois les administrateurs de cette mauvaise nouvelle. On va s'apercevoir qu'après avoir allumé tant de feux, les éteindre d'un seul souffle sera compliqué. Les pompiers pyromanes pensent que mon départ, d'un coup de baguette magique, va favoriser une remontée soudaine des cours. Ils vont au contraire encaisser une division de ces cours par deux durant les jours et les semaines qui suivent. Les banques sont mises en position de force. Elles vont profiter de la situation jusqu'à la corde. Le doute s'est installé dans le marché. Il faudra du temps pour le dissiper. Une nouvelle équipe s'installe mais elle ne connaît pas les métiers et cela apparaîtra forcément.

Ce soir-là, Edgar Bronfman, l'héritier des fondateurs de Seagram, le groupe de musique, cinéma et télévision avec lequel nous avons fusionné il y a deux ans, prend peur. Échange de mails acerbes. Les mensonges et démarches cachées aboutissent au piteux résultat que voilà : on se détruit au lieu de consolider.

J'apprends déjà à dire : « Je ne suis plus en charge. » Ce lundi 1er juillet, je n'ai pas parlé aux agences de notation ni aux banques. Je ne peux plus engager le groupe. Avec amertume, je « les » laisse faire, je « les » regarde. Je « les » observe. Comment ne pas voir derrière leurs ombres le rôle déterminant qu'a joué depuis des semaines cette formidable campagne de rumeurs anonymes, de déstabilisation, de dénigrement, de lynchage des dirigeants du groupe... Pas de faits, mais des insinuations à la Une des journaux et de quelques documents d'analystes : « Et que se passerait-il si... » On a voulu faire passer Vivendi Universal pour un Enron-bis, un Worldcom. Du nom de ces grandes sociétés américaines qui viennent de faire faillite dans un grand éclat de scandale et de trucage de leurs comptes, d'enrichissement personnel de leurs dirigeants sur le dos de l'entreprise et de ses actionnaires. Un nouveau scandale à la française ?

Les banquiers, à la suite de certains investisseurs, ont pris peur, refusant d'honorer quelques crédits en réserve ou d'en négocier de nouveaux.

Quand la peur s'installe, il est déjà trop tard. Or Vivendi Universal n'est ni Enron, ni Worldcom. Ni fraude, ni manipulation comptable, ni enrichissement indu n'y ont été constatés. Les enquêtes réalisées notamment par la nouvelle équipe le confirmeront, j'en suis convaincu. Les dirigeants de Vivendi Universal étaient honnêtes. Sur ce point, aussi, la vérité éclatera.

Assis dans mon bureau, je sais que j'éprouverai le moment venu la satisfaction d'avoir retrouvé mon honneur. Avec l'amertume de la reconnaissance posthume et la rage pour le mal qui m'aura été fait et dont je vis aujourd'hui les premiers stigmates. Non, messieurs, VU n'est en rien comparable aux scandales qui défrayent la chronique depuis six mois. La plupart des rumeurs, vous le savez, sont fausses. Mais, avec mon équipe, nous serons partis. Et la peur transmise au marché et aux banquiers aura coûté très cher, au groupe comme à ses actionnaires. Les pompiers pyromanes paieront-ils un jour le prix de leur forfait? Je relis alors ces phrases de Kipling, que je commentais quelques mois auparavant avec l'un de mes enfants, si belles à lire et si dures à vivre :

« Si tu peux voir détruit l'ouvrage de ta vie
Et sans dire un seul mot te mettre à rebâtir...
Si tu peux supporter d'entendre tes paroles
Travesties par des gueux pour exciter les sots...
Si tu sais méditer, observer et reconnaître,
Sans jamais devenir sceptique ou destructeur...
Si tu peux rencontrer triomphe après défaite
Et recevoir ces deux menteurs d'un même front...
Tu seras un homme, mon fils. »

Mardi 2 juillet. La journée passe tel un éclair. À vrai dire, je n'en ai plus aucun souvenir jusqu'au soir. Comme lors d'un accident. La perte de connaissance. Rien. Le blanc.

Après un pot réunissant tous les salariés du siège dans l'Espace Vivendi, situé rue de Tilsitt, où nous présentons nos produits – livres, disques, DVD, cédéroms dans le plus grand cybercafé gratuit d'Europe – je pars. Le cœur en miettes. Non sans avoir serré la main à chacun. Merci pour les petits mots prononcés! L'émotion est grande lorsque, devant le siège, je vois les salariés ayant préparé une haie d'honneur. Une bise ou deux, des mains serrées. Fini! Déjà!

Le vide devant!

Certains anciens collaborateurs font déjà assaut de zèle afin de s'attirer les bonnes grâces des nouvelles équipes, comme des journalistes. Oubliant, sans doute dans l'urgence, que cet excès de zèle est lui-même signe d'absence de fiabilité...

La nature humaine a parfois ses petitesses. Passons et oublions vite. Les collaborateurs de rang modeste, les huissiers, les chauffeurs, les secrétaires, sont toujours dans de telles circonstances les plus dignes, les plus chaleureux, les plus sincères.

Mercredi 3 juillet. J'ai décidé de ne pas assister au conseil d'administration. Je n'ai aucune envie de cette mascarade et d'avoir, en face de moi, ces têtes de circonstance. Je n'ai pas envie non plus de rester à Paris, d'être prisonnier de ce tourbillon médiatique subi depuis des mois. Je pars donc pour la campagne. Vélo et longue balade à pied. Seul.

Une demi-heure avant le conseil, j'appelle néanmoins Jean-René Fourtou dans sa voiture, de retour de quelques jours de bateau, avec la société qu'il codirige, Aventis. Je l'appelle par courtoisie. Par respect pour lui, mais aussi pour Vivendi Universal. Pour lui dire que je suis à sa disposition, quelles que soient les circonstances et lui souhaiter bonne chance. Sincèrement. Il faut qu'il réussisse.

Jeudi 4 et vendredi 5 juillet. Je reste à la campagne où mon épouse m'a rejoint. Les mails affluent déjà.

J'ai eu beaucoup d'émotion à lire, dans les semaines qui suivent, les milliers de témoignages reçus, à vous répondre, à vous, souvent inconnus. Une vingtaine seulement sont des lettres d'injures ou même de menaces. Merci à vous, Français : « J'ai vu en vous un homme dévoué à son entreprise et à ses salariés. Votre ambition est aussi celle de beaucoup de vos employés. Vous avez été pour nous tous un grand Monsieur et un grand patron. » À vous, Américains : « *I felt comfort in knowing you were leading us in a time of tremendous fear and uncertainty. You shared with us your thoughts and vision for our future in a refreshingly open and candid manner. I knew then, that I wanted to work for you, not just because you were the leader of our company but, more importantly, because of you the person* [1]. »

Certains font part de leurs explications : « Ils se sont mis à plusieurs : les Américains qui n'ont pas aimé qu'un Français vienne les braver sur leur territoire, les caciques du patronat français qui n'aiment pas les esprits libres, et surtout la presse acharnée. Pourtant vous proposiez justement ce qui manque cruellement aujourd'hui : un groupe de communication mondial, multiculturel d'origine française pour lutter contre tous les hégémonismes. » Ou encore : « Simple petit actionnaire, je veux vous témoigner mon admiration et ma gratitude d'avoir créé une des plus belles entreprises françaises. Ce qui arrive ne fait qu'accentuer le ringardisme et la frilosité de

---

1. « En ces temps de très grande peur et d'incertitude, je me sentais réconforté de vous avoir comme patron. Vous avez partagé avec nous vos réflexions et votre vision pour le futur d'une manière très franche et directe. À partir de là, je savais que je voulais travailler pour vous, pas seulement parce que vous étiez le " patron " mais, plus important, à cause de votre personnalité. »

ce vieux patronat qui vit encore au XIXᵉ siècle, aux ordres des politiques du plus haut niveau n'ayant pour toute imagination que le culte des copains. »

Tout l'été, les messages affluent. Il faudra leur répondre, un par un. Mais, dans l'immédiat, je n'ai qu'une envie : partir, loin. Or, déjà, l'intérêt malsain de certains médias pointe. Celui qui conduira tout l'été des paparazzi à chercher à voler des images de famille : des violeurs d'intimité, des chasseurs de primes pour lesquels il est impossible d'éprouver le moindre respect.

Il faut que j'arrive à puiser au fond de moi la force nécessaire pour faire face à ce coup dur. Il faut désormais penser à construire une nouvelle vie. Protéger la famille. Expliquer individuellement, à chacun de mes enfants dont les camps d'été se terminent prochainement. Mais je suis confiant. Nous sommes très proches. Nous avons toujours parlé de tout, avec des mots choisis pour chaque âge. Et puis ils m'ont déjà vu changer de vie professionnelle. Trois fois. Ce sera la quatrième. Je serai attentif à ce que leur vie, à eux, ne change pas.

Je dois, pour cela, être tranquille. J'appelle une agence de voyages. Direction Istambul, s'il vous plaît. Le leurre parfait. Ça ne loupe pas. Le lendemain, à la radio, j'apprends que je pars pour la Turquie. Pendant ce temps-là, direction le grand Ouest, le Montana, dans un ranch. Au milieu d'un paysage grandiose peuplé d'animaux en liberté.

Et là, j'apprends à oublier. J'apprends à me souvenir. Je prends la plume.

Chapitre II
« Little frenchman »

> « Le ciel de New York est beau parce
> que les gratte-ciel le repoussent très loin
> au-dessus de nos têtes. »
>
> Jean-Paul Sartre, *Situation III.*

New-York – Septembre 2001. Vivendi Universal est devenu un géant mondial de la communication, y compris aux États-Unis. Pour mieux diriger les équipes, intégrer la culture américaine au sein de nos racines européennes, j'ai décidé de m'installer quelques temps, ici, à New York – convaincu que nous n'arriverions pas sans cela à dominer ce nouveau groupe. En le faisant, je n'accomplis pas un rêve, je brise un tabou ou je brave un interdit : un patron français, même pour le bien de son groupe, ne va pas – fût-ce provisoirement – vivre « ailleurs ».

« *Is this man America's next media mogul?* » (cet homme est-il le prochain grand patron des médias aux

États-Unis ?) s'interrogeait en septembre 2001, le maga-zine *Fortune* à la une... de son édition européenne !

Le *New York Times, Time, Vanity Fair* et bien d'autres suivront. Sans oublier, côté télévision, les émissions de Charlie Rose sur PBS.

Étrange de voir débarquer un Français, *little french-man*, aux États-Unis, à New York, pour diriger un groupe de médias, chasse gardée américaine. *Our little frenchman* est le surnom que plusieurs de nos équipes américaines m'ont, plutôt affectueusement, donné, après lecture de ces articles. J'en retrouverai encore la trace dans les mails reçus après mon départ. Un exemple venant de Blizzard, un studio de création dans les jeux, la meilleure équipe du monde, celle de *Diablo II* ou de *Warcraft III* pour reprendre ses plus récents succès glo-baux (4 à 5 millions de cédéroms vendus).

« *To "our little frenchman"*,
I hope events will go well with you in the future. I understood your vision for Vivendi and we, at Blizzard, appreciated having you at the helm. You were not only "our little frenchman" but a great american boss we loved to work for and we admired the vision. Keep aiming high. And don't forget our favorite phrase here at Blizzard : "But wait, there is more!" [1]. »

Ce qui me frappe dans les mails reçus des salariés du groupe, c'est la différence des mots. Chez les Français, ce qui revient le plus c'est « merci » et « rêve ». Chez les

---

1. « À notre " petit Français " : J'espère que tout ira bien pour vous dans le futur. J'ai compris votre vision pour Vivendi et nous, chez Blizzard, nous appréciions de vous avoir à la barre. Vous n'étiez pas seulement notre " petit Français " mais un grand patron américain pour lequel nous avons adoré travailler et dont nous avons admiré la vision. Continuez de viser haut. Et n'oubliez pas notre devise, ici, chez Blizzard · " Attendez donc, il y a encore mieux à venir ! ". »

Américains, c'est « vision » et « leadership ». Leur attitude, des plus humbles d'entre eux, aux leaders des équipes de création, a été pour moi une formidable récompense. La démonstration que la « greffe », en tout cas en interne, avait pris, vite et fort. Que les différences de culture étaient surmontables autour d'objectifs communs, d'une vision, d'un charisme. Mais est-ce que cela suffit pour gagner un pari comme Vivendi Universal ? Un non-Américain peut-il réellement réussir dans cette communauté très fermée de l'*entertainment* aux USA ?

Le seul à jamais avoir su s'imposer, c'est Rupert Murdoch, mais il est « propriétaire », en tout cas en contrôle, de son groupe. Nos rencontres avec Rupert Murdoch sont rares. L'une des plus récentes s'est déroulée à l'occasion d'une des « grandes messes » d'investisseurs dont les États-Unis ont le secret. C'était en février dernier, à Scottsdale, Arizona, une ville champignon parmi tant d'autres élevée au milieu d'un désert torride et où les golfs et les hôtels sont plus nombreux que les habitants natifs de l'endroit.

C'est ici que, traditionnellement, chaque automne, l'une des très grandes banques d'investissement américaine (SSSB) invite plus d'un millier d'investisseurs et analystes. C'est plus que ce que l'Europe toute entière doit en compter. Leur spécialité : les technologies, médias et télécoms. Pendant une semaine entière s'enchaînent présentations publiques, réunions privées... et parties de golf. Une immense tente est dressée pour accueillir les réunions les plus nombreuses et les repas.

Les patrons se succèdent à la tribune. Ce jour-là, je suis l'intervenant d'après déjeuner. Mon « ami » Murdoch, lui, s'exprime le soir. Soudain, à ma grande surprise, en pénétrant dans la « cage aux lions » je « tombe » sur lui, venu m'écouter.

Des photographes s'approchent. Nous sommes tout sourire. Pas question de montrer de l'hostilité ou de la faiblesse. Les vraies discussions auront lieu ailleurs. J'ai d'ailleurs de l'admiration, et même de la sympathie pour Rupert Murdoch. Intraitable : oui, certes. Insupportable : sans doute parfois pour ses équipes. Mais Murdoch est aussi l'homme d'une vision stratégique, d'une volonté inébranlable, bref un homme d'affaires accrocheur et « entreprenant ». Je lui renvoie volontiers son compliment d'un jour : « *he has guts* » (il en a !).

En matière d'affaires, la brutalité de ses origines australiennes n'a rien à envier aux mœurs américaines. D'aucuns vous diront donc : il n'est pas étonnant que Messier ait ainsi été rejeté. La France est un pays difficilement compréhensible, manquant de « fiabilité », voire, « archaïque », aux yeux de certains Américains.

Français, je le suis. J'en suis fier. J'entends bien le rester. Alors pourquoi tant « d'acharnement » à créer une position forte aux États-Unis malgré une telle concurrence et une telle dureté ambiantes ? Mission impossible ? Et que faut-il en retenir sur le plan des affaires, des hommes, du pays, de la société américaine ? Quel fut le rôle de la famille Bronfman dans cette aventure américaine ? Et Hollywood ? Et les médias ? Bref, peut-on vraiment y réussir ?

Juillet 2001. Je participe à la conférence de Sun Valley. Événement incroyable du monde des médias, organisé depuis plus de vingt ans par une banque d'affaires américaine, Allen and Co, spécialisée dans les médias et unanimement appréciée. Imaginez une station de montagne, Sun Valley, État de l'Idaho, dans l'Ouest américain. L'Idaho, c'est l'État des « pommes de terre », devenu soudainement riche parce que Mac Donalds lui acheta ferme et pour plusieurs années l'intégralité de sa production pour fournir en frites ! Pendant dix jours, la station, ses hôtels, ses salles sont réservés afin de permettre à l'équipe d'Allen d'accueillir les deux cents principaux dirigeants des métiers de la communication du monde, accompagnés de leurs familles.

Programme immuable. Premier soir : barbecue géant dans une prairie avec cow-boys et lassos. Tous les jours : conférences le matin de 7 h 15 à 9 h 30, puis plus rien avant le dîner. Programme libre. Activités sportives en tous genres pour grands et petits : pêche, VTT, raft, marche, tir à l'arc, patinoire, etc. et rencontres informelles. Tout le monde est là, dans une ambiance bon enfant et totalement décontractée : Rupert Murdoch, Bill Gates, l'investisseur culte Warren Buffet, Ted Turner, Steve Case et Bob Pittman d'AOL, Gerald Levin et Dick Parsons de Time Warner maintenant réunis, Idei de Sony, Thomas Middelhoff de Bertelsmann, etc.. Les trois continents sont représentés. La mondialisation (globalisation, disent les Américains) est là. Personne ne manque à l'appel. Vestes ou cravates prohibées. Journaux, radios, télévisions, journalistes aussi. Formidable opération de marketing et diablement utile. Et puis se retrouver à pagayer dans un rapide avec Bill Gates, finalement trempés mais saufs... Un avant-goût de ce qui m'attend...

2 septembre 2001. Débarquement à New York, en famille. Une décision nécessaire, parfois perçue comme un exil, un éloignement de la France, une américanisation. En fait, peu de changements pour moi. L'objectif est simple : je sais combien de fusions ont échoué faute d'intégration réelle des équipes, faute d'attention portée aux différences culturelles et aux modes de travail. Le risque est encore plus grand dans ces milieux de créatifs, un risque au demeurant exacerbé par cette communauté new-yorkaise ou hollywoodienne très fermée, tenant les principaux postes de commande de l'industrie de l'*entertainment*, davantage préoccupée de sa fortune personnelle que de celle de ses actionnaires. Telle est la caricature ou la réalité à laquelle je vais devoir être confronté avec Universal, après la fusion avec Seagram. Dans un climat où les Français restent marqués par l'échec du Crédit Lyonnais dans sa tentative de contrôler Paramount ou par celui de Canal+ avec Carolco. Dans un climat où beaucoup pensent que « tout dollar investi par un Français à Hollywood est un dollar perdu » ; où certains en France se rallieraient sans doute à la formule : « Quoi ? vous n'êtes ni juif, ni gay, ni même américain ? Alors évitez Hollywood, vous n'avez aucune chance. »

Je suis décidé pour la réussite de Vivendi Universal à montrer l'ampleur de l'archaïsme et de la xénophobie de ces réactions françaises. Je suis décidé à implanter notre groupe aux États-Unis. Comment prétendre être leader sans exister sur le premier marché du monde qui est aussi le plus créatif ? Décidé à intégrer les équipes en étant très présent auprès des collaborateurs américains, en leur montrant l'avantage d'appartenir à un groupe ouvert, divers, très fort en Europe et connaissant bien, parfois mieux qu'eux, les différentes cultures. Pour réussir à s'affirmer vis-à-vis d'eux, disposer d'une base à New York est un signe d'engagement, de crédibilité et de sérieux dans les objectifs poursuivis. Le meilleur moyen de combattre les *a priori* « anti-français ». « Mon boss est là, il vit ici, il a accepté de changer de continent en famille. Il est vraiment déterminé!... »

Ma vie personnelle ne changera d'ailleurs pas beaucoup. Un à deux allers-retours transatlantiques tous les mois. Cent cinquante jours par an à Paris, autant à New York ou Los Angeles, le solde dans le reste du monde. Cela fait quinze ans que je vais au moins une fois par mois à New York. « Big apple » est devenue ma ville d'adoption.

J'ai envie de profiter de cette vie, un peu folle sur le plan des voyages, reconnaissons-le, afin d'offrir à ma famille, à mes enfants, la découverte d'un pays, d'une langue, d'une culture. Ce déracinement est pour eux à la fois un risque et une chance. En ce 2 septembre, j'espère qu'ils s'intègreront dans la société américaine sans renier leurs racines françaises. J'ai l'impression de leur faire un beau cadeau en leur offrant cette possibilité d'une vie multiculturelle.

Quand je franchis les portes de cet appartement à New York qui fera couler beaucoup d'encre, voilà ce à quoi je pense. Situé en étage élevé, il est aménagé dans un esprit loft, très blanc et dépouillé, avec d'immenses fenêtres découvrant une vue à 360 degrés sur New York. Il nous a fallu tout racheter : meubles, tapis, etc. Si l'entreprise avait décidé de louer plutôt que d'acheter, personne n'en aurait entendu parler. Toutefois, cet appartement deviendra un symbole, évidemment négatif, j'aurais attrapé la « grosse tête », un sujet de polémique. À cette époque, je suis encore bien loin de l'envisager car je suis d'abord préoccupé par ce pari d'intégration professionnelle et familiale.

3 septembre 2001. Labor Day. Le 1er mai américain. J'emmène mes enfants de l'autre côté de l'East River, face à New York et à Manhattan, en traversant le vieux pont de Brooklyn. Au pied de cet ouvrage extraordinaire, sous les piles du pont même, se trouve un petit café, le River Café, qui offre sur le sud de New York un panorama exceptionnel. Avec le Chrysler Building, si caractéristique avec son toit Art Déco en aluminium, l'Empire State Building, le plus haut de la ville... et les deux tours jumelles du World Trade Center. Mi-touriste, mi-immigrant, je fais asseoir mes trois fils l'un après l'autre sur la rambarde au-dessus de la rivière et je les photographie. L'une de ces images est cadrée pour que sur le ciel bleu ne figure que leur tête... précédant les deux tours du World Trade Center.

Huit jours. Huit jours seulement et cette réalité sera détruite, balayée...

5 septembre 2001. Au travail. Rencontre avec Barry Diller puis avec Doug Morris. Barry Diller est l'un des papes de l'industrie du cinéma et de la télévision américaine. Forte personnalité, il a du talent, il le sait. Il a toujours créé, de Murdoch pour qui il a développé Fox, à USA Networks, société de télévision et d'internet, beaucoup de valeur pour ses actionnaires... et pour lui. Normal. Tant mieux. Il y a quelques années, il a convaincu Edgar Bronfman Junior de lui apporter les activités télévision de Seagram contre une participation minoritaire et sans contrôle, les droits de vote étant exercés par... Barry Diller. Bon choix financier, car Barry a fortement développé les activités et la valeur en bourse d'USA Networks, il est l'un des « chouchous » des analystes et des investisseurs qui aiment son mélange de candeur stratégique, de transparence et de brutalité. Mauvais choix industriel cependant, car l'industrie du cinéma et celle de la télévision s'intègrent de plus en plus. Et, pour faire simple, chacun sait que les paillettes et les films « glamour » sont rentabilisés par la télévision, grâce aux achats de droits et aux séries. Vendre les activités télé d'Universal a été, de ce point de vue, un contresens économique complet. De plus, la complexité des accords de distribution et de production gèle toute initiative. Le potentiel des meilleurs films d'Universal est perdu pour la production télévisée.

J'ai déjà en tête de convaincre Barry de mettre un terme à cette situation ubuesque, de ramener USA Networks à Universal et... sous le contrôle de Vivendi Universal. Pari fou, impossible, diront beaucoup. « Jamais Barry ne s'entendra avec personne. » Et pourtant, il le faut. L'argument, le seul, qui convaincra Barry de bouger sera échangé quelques semaines plus tard lors d'un petit déjeuner dans sa villa de Beverly Hills, le district des milliardaires et des vedettes de Los Angeles. Belle maison, basse, claire, avec un jardin de rêve !

« Barry, compte tenu des opportunités ratées, de l'absence durable de coopération entre nos équipes, nous laissons de l'argent au milieu de la table. Il n'est ramassé ni par l'un, ni par l'autre. L'intégration de notre industrie est encore plus rapide qu'on pouvait le penser. Si nous ne bougeons pas ensemble, nous ne faisons ni l'un, ni l'autre, notre devoir vis-à-vis des actionnaires. »

Quelques mois plus tard, Universal reprendra le contrôle d'USA Networks en finançant le deal principalement au moyen des actions reçues en paiement de l'apport réalisé quatre ans plus tôt, accompagné d'environ 2,2 milliards de dollars de *cash* ou quasi-*cash*, qui est le montant actualisé de ce que Seagram avait reçu à l'époque. Contrairement à ce qu'écriront ou diront beaucoup de gens à Hollywood, incrédules de voir le *little french guy* convaincre Barry le dur, Barry l'empereur, de travailler ensemble et donc convaincus que le « Français s'était forcément fait " rincer " », cette transaction n'est ni chère, ni bon marché. Elle est juste correcte, loyale, permettant le retour à une logique industrielle forte. Elle dénonce, en sens inverse, l'erreur industrielle précédente. Ce 5 septembre, est née une estime réciproque forte. Sans naïveté – Barry est un grand bonhomme, un très grand entrepreneur. Toute occasion de bâtir en commun sera la bienvenue.

L'autre discussion majeure du jour a lieu avec Doug Morris, le patron d'Universal Music Groupe (UMG), notre activité de musique, leader mondial dans de nombreux domaines : hip-hop, rap, country, black musique, jazz, classique. Tous ceux qui regardent l'activité de musique, activité de création par excellence, nécessitant un équilibre permanent entre gestion financière et gestion des artistes, à la seule lecture de ses chiffres bruts ou de ses enjeux nouveaux comme le piratage sur internet, ratent tout simplement sa dimension essentielle, humaine. Ceux qui regardent Doug « en transparence », comme un dirigeant auquel on peut en substituer un autre, se trompent.

Doug a connu la difficulté. Il fut licencié huit ans plus tôt comme un malpropre par son employeur, Time Warner, parce que d'autres dirigeants du groupe souhaitaient prendre en direct la responsabilité de la musique. Parce que la musique c'est *fun* ! Doutes personnels, nervosité prolongée avant de se voir offrir la chance de repartir avec Edgar Bronfman. Bilan : la part de marché de Warner n'a cessé de se réduire depuis, de près de 10 %, tandis qu'UMG, devenu conquérant, dépasse aujourd'hui souvent les 30 % de parts de marché.

Hasard ? Non, talent. Connaissance intime des tendances, compréhension des envies des consommateurs. Et surtout, un animateur d'équipes exceptionnel, humain, tellement humain. Toujours « tiré à quatre épingles ». Véritable « parrain » des talents qui l'entourent et qui dirigent en véritables entrepreneurs chacun des labels d'UMG. Catalogue de rêve quels que soient votre âge et vos goûts : InterScope, Island/Deff Jam, Motown, Mercury, Nashville, Barclays, Verve, Decca, Deutsche Grammophon... Doug aime et respecte ses équipes. C'est un découvreur de talents. Capable de travailler avec les artistes, les patrons de label aux personnalités parfois extravagantes ou difficiles, les gestionnaires. Connaissant son industrie sur le bout des doigts, rares sont ceux qui peuvent lui en remonter !

Le respect et l'estime entre nous sont-ils également nés ce 5 septembre ? Cela remonte sans doute un peu avant, lorsqu'à l'occasion d'une présentation d'investisseurs à Paris, Doug était venu accompagné de Jimmy Iovine, le patron d'InterScope, l'homme d'Eminem et de beaucoup d'autres, créatif et imaginatif, vivant à Los Angeles, toujours en tee-shirt et coiffé d'une casquette vissée sur la tête, agité et brillant, *self-made man* ayant, comme on dit, appris le monde dans la rue et pas à l'école. Pas vraiment le look Wall Street ou CAC 40 ! Pas vraiment le look dirigeant de grande entreprise multinationale ! Pas vraiment le look français BCBG. Plutôt le look banlieue dure ! Entrepreneur, entreprenant, fabuleusement doué. Le courant passe entre nous immédiatement. Lui semble étonné d'être écouté et respecté par un Français diplômé !

Et moi je suis fasciné par son talent! Doug regardant, amusé, cette scène, fit sans doute son serment d'allégeance et d'amitié chaleureuse ce jour-là.

J'ai le sentiment d'une découverte positive des hommes, de la capacité à agir en commun au-delà de l'Atlantique et malgré des chemins de vie tellement différents. C'est plutôt rassurant.

10 septembre 2001. Rencontre avec Bryan Roberts et Charlie Ergen, deux hommes très différents, mais qui incarnent le capitalisme familial américain.

Bryan Roberts est le jeune patron de Comcast, société de câble créée par sa famille et qui prendra quelques mois plus tard le contrôle d'ATT-Broadband pour créer le premier distributeur de télévision par câble aux Etats-Unis : plus de 25 millions de foyers abonnés si la fusion est acceptée.

Brillant, mais d'un abord assez froid, chacun le voit se lancer un jour à la conquête de Disney et continuer à sa manière l'aventure de la convergence. Peut-être choisira-t-il de rester « simplement » un homme du câble, où ses équipes sont véritablement les meilleures gestionnaires.

Charlie Ergen est quant à lui le créateur d'EchoStar, dont le siège est à Denver dans le Colorado, l'équivalent américain de Canal Satellite. Plus exactement de TPS, car il s'est lancé après le numéro un, Direct TV. C'est un entrepreneur chaleureux, hyper-compétent, agressif sur le plan commercial, toujours préoccupé du client et qui connaît par son prénom chacun de ses employés. Quelques mois plus tard, il se lancera à l'assaut de Direct TV pour créer un opérateur de télévision par satellite de près de 17 millions de foyers, si la fusion est acceptée. Nous deviendrons, dans ce domaine si proche de Canal+ en

Europe, partenaires en capital, mais aussi sur le plan technologique, de la distribution de chaînes comme de services interactifs. L'homme fut élevé et habitué à la sécheresse et aux montagnes du Colorado, mais aussi à ses immenses espaces à conquérir pied à pied.

Autre bonne journée. La présence à New York se révèle décisive pour faire la connaissance, méthodique, de tous les principaux acteurs de nos métiers. Elle sonne aussi « juste » chez mes interlocuteurs. *Little frenchman* certes, mais installé à New York : on peut discuter.

La « lune de miel » avec la famille Bronfman, principaux actionnaires et fondateurs de Seagram, se poursuit, en apparence tout au moins. Edgar Senior se comporte vis-à-vis de moi en « père adoptif », facilitant notre arrivée et ménageant tous les contacts nécessaires dans la communauté new-yorkaise, notamment dans la communauté juive. Edgar Junior est heureux d'une présence à New York qu'il a souhaitée, qui lui semble permettre de réussir le versant américain de l'aventure Vivendi Universal, y compris auprès des investisseurs. Dîner d'accueil pour ma femme Antoinette et moi avec d'éminentes personnalités américaines, dont son ami, le très sympathique Tom Daschle, leader démocrate au Sénat.

Beaucoup de pièces du « puzzle » se mettent donc en place. Les premières réactions familiales sont bonnes. Au bout d'une semaine, le *little frenchman* respire !

11 septembre 2001. La journée doit commencer avec John Montrone, le président du conseil du Metropolitan Opera de New York. Plaisir et travail mêlés : parler d'opéra, faire connaissance, évoquer les coopérations possibles. Elle doit se terminer par l'introduction « médiatique », très prestigieuse, détaillée et professionnelle :

45

l'interview du soir d'une heure entière sur la chaîne publique américaine PBS, – le Arte américain – avec son présentateur vedette : Charlie Rose. L'occasion de parler en détail du groupe, de ses objectifs et performances, de ses équipes, des raisons de ma présence à New York. Sans décor et sans fioritures : une petite table ronde en bois, deux chaises et deux verres d'eau. Il n'y aura pas d'interview ce soir-là.

Avant d'en arriver là, tout bascule avec les attentats du World Trade Center.

La ville dans la rue fuyant le sud de Manhattan, celui des photos prises avec les enfants la semaine dernière.

Les sirènes.

Les forces de police, partout.

La découverte de l'horreur sur le reste du territoire américain

L'inquiétude de ne pas arriver à joindre ma fille aînée, restée à Paris pour ses études. La rassurer... à tout prix. Puis mes parents, puis les amis.

L'angoisse pour les salariés du groupe, qui laisse place à la stupéfaction, avec nombre de drames individuels.

Les mails qui se succèdent.

Les enfants, laissés à l'école, mais auxquels en fin de journée, à la maison, il faut expliquer l'impensable. Huit jours après avoir été transplantés. Leur laisser voir les images, mais une fois seulement. Et parler au pied de leur lit, une bonne partie de la nuit.

L'alarme qui retentit à 5 heures du matin. L'appel de Paris une heure après : « On dit que vous êtes mort... »

Le mail à adresser à tous les salariés et leurs réponses, poignantes.

L'aide (5 millions de dollars) libérée pour le fonds du 11 septembre.

L'angoisse.

Le doute.

La peur.

Que faire ?

Les contrôles renforcés dans les jours qui suivent.

La crainte d'un nouveau cauchemar.

La question, lancinante : rentrer ou rester ?

La force, le calme des réactions des enfants, rassurés par le contact maintenu avec leurs amis, par l'e-mail.

Les questions sur le monde qui bascule, sur les marchés qui s'effondrent. Jusqu'où ?

Le monde, jamais plus comme avant.

Rester ?

Pas le choix.

Le besoin professionnel qui n'a pas changé.

La famille, prête à assumer.

On reste.

Rien ne sera comme avant. Mais ce sera bien pire que dans mes cauchemars !

13 septembre 2001. Déjeuner maintenu avec le rabbin Arthur Schneier, créateur d' « Appeal of Conscience », une fondation qui depuis plus de quarante ans se propose de créer un pont entre les cultures, entre les religions. Un homme de tolérance, leader de l'une des communautés juives de New York. Qui n'a pas l'heur de plaire à Edgar Senior, ancien président du Congrès juif mondial. Il me reprochera à de nombreuses reprises cette relation, de surcroît non présentée par lui, ce qui doit, dans son esprit, être au moins une faute de goût.

Dans ce New York dévasté, parler quelques heures de tolérance, des ponts à construire pour l'après-11 septembre. Éviter, d'un côté, de retomber dans une arrogance américaine belliciste et, de l'autre, fuir la radicalisation coupable et l'extrémisme terroriste de mouvements islamistes; éviter la condamnation et la marginalisation des milliards de personnes de religion musulmane sur la planète. Moment d'espoir et de paix dans un environnement de fin de monde.

27 septembre 2001. Rudolph Giuliani, le maire, lançant aux New-Yorkais : « Vous voulez aider la ville ? Vous le pouvez. Comment ? Vivez, sortez, allez au restaurant, dans les commerces. Seule la vie est plus forte », et la ville reprend petit à petit le dessus.

Avec son lot de drames, de ces milliers de « *missing* », « manquants », comme l'on disait pour éviter d'avoir à formuler qu'ils étaient vraisemblablement morts sous les décombres des tours. Angoisse des enfants, des familles, qui entre espoir et désespoir, sans corps retrouvé, sans liste, ne pouvaient même pas commencer leur deuil. « Manquant » n'exclut pas le retour ! Ils ne reviendront pas...

La vie, y compris celle des affaires, doit repartir. Et elle repart. Ce jour-là, je rencontre Jeffrey Immelt, le nouveau patron de General Electric, successeur depuis peu de l'icône Jack Welch, le dirigeant le plus célèbre au monde de ces dernières décennies, à la tête de la plus grande entreprise du monde. Le rendez-vous était initialement prévu le 12 septembre...

Quadra également, Jeffrey, grand et fort, a une allure immédiatement chaleureuse, sympathique. Notre entretien est destiné à une présentation formelle. General Electric contrôle en effet l'un des grands réseaux de télévision américains, NBC, le dernier indépendant non contrôlé par Disney ou Viacom qui sont nos concurrents. Il est important de se connaître! NBC travaille beaucoup avec Universal et USA Networks – on peut travailler encore plus et un jour, qui sait... rapprocher nos entreprises dans ce domaine? Honneur au plus gros, démarche normale du plus jeune, du petit nouveau aux USA, du « *little frenchman* », je vais le voir dans son bureau du cinquante-sixième étage du Rockefeller Center. Temple et centre de New York, au-dessus de la célèbre Rockefeller Plazza qui accueille en hiver... une patinoire et... un sapin de Noël haut de plus de dix étages! Les bureaux de GE sont impressionnants, hyper protégés, luxueux, mais sans excès.

Miracle des premières rencontres. Après la partie affaires, notre conversation se poursuit sur un ton plus personnel, familial d'abord et puis vraiment personnel. Nous parlons de notre situation à l'un et à l'autre : comment succéder à des patrons mythiques : Jack Welch au niveau mondial, plus modestement Guy Dejouany en France. Comment changer d'activité, de style, sans perdre le lien quasi « filial » avec nos prédécesseurs? Et puis Jeffrey me dit soudain :

« Jean-Marie, regardez ce qui arrive autour de nous. Qui sait ce qui peut arriver après le 11 septembre? Qui sait si cela peut recommencer? Qui sait à quel point les marchés vont être déboussolés? On a beau dire, personne, personne n'a été préparé à ce qui peut advenir. Cela ne s'apprend pas dans les écoles. Nul ne sait ce qu'il faut faire. Notre responsabilité est terrible. Cela fait tellement de bien de pouvoir avoir un ami, exerçant la même responsabilité, qu'on puisse appeler et à qui on puisse dire : " Et toi, que fais-tu? Comment réagis-tu? Moi je ne sais pas trop. ". »

C'est de là qu'est née une relation directe, confiante avec « le plus grand patron du monde », quadra inquiet comme je le suis de l'état de notre monde et des perspectives qu'il offre à nos enfants.

Ce même jour, suit une *conference call* avec Steve Ballmer, le patron de Microsoft. On réduit souvent Microsoft à Bill Gates, omettant l'un de ses cofondateurs, Paul Allen, aujourd'hui retiré, et surtout l'homme qui gère aujourd'hui l'entreprise : Steve Ballmer. Un homme détonnant. Par sa carrure d'abord. C'est un immense colosse que l'on imagine volontiers sur un terrain de rugby. Par son énergie, ensuite. À toute heure du jour ou de la nuit, il est disponible pour négocier par visioconférence quel que soit l'endroit du monde où il se trouve. Infatigable. Enfin, c'est quelqu'un de très surprenant. On l'a dit attiré par des expériences extrêmes. En tout cas, ses salariés se souviennent de ce jour où, dans le cadre d'un séminaire destiné à forger le moral de ses vendeurs et de ses salariés, il a surgi comme un cabri d'un gigantesque gâteau apporté sur scène.

Nous n'avons que le temps d'entamer des négociations confidentielles sur un projet de grande ampleur. Une alliance, non capitalistique mais réelle, entre les métiers de contenus de Vivendi Universal et les technologies de Microsoft. Il s'agissait, en deux mots, de contrer AOL-Time Warner et la communauté des « pirates » informatiques en favorisant de manière privilégiée la promotion des logiciels et formats de Microsoft. En contrepartie, ce dernier se serait engagé d'une part à rendre la vie dure aux pirates dans ses nouvelles générations de logiciels pour empêcher les copies illégales, et d'autre part à confier à Vivendi Universal le rôle de programmateur exclusif des sites musique et cinéma et en partie des sites jeux et éducation de MSN sur internet. Le temps, là aussi, aura manqué. Un tel accord aurait fait du bruit. Et surtout, il aurait été riche de potentiel pour nos deux entreprises dans cette économie de la convergence et du piratage réunis !

10 octobre 2001. Los Angeles. Hollywood. Neuf lettres magiques, neuf lettres qui incarnent le rêve : cinéma, acteurs, actrices, soleil, milliardaires, *jet-set...* et fantasme. D'aucuns prétendent : pas un métier « sérieux », impossible à diriger. En attendant, et au risque de décevoir certains, je n'ai pas cédé aux sirènes de Hollywood. Personne ne m'a vu descendre Sunset Boulevard au bras d'une vedette, ni même d'une starlette. Pas même de déjeuner en tête à tête avec la superbe Julia Roberts. Pourtant mon actrice préférée sous contrat... Universal pour certains de ses films.

Mais quelques souvenirs de personnalités tout de même. Par exemple la pétulance volcanique – et les idées très arrêtées – de l'Irlandaise Catherine Zeta-Jones, mariée à Michael Douglas. Je me souviens encore d'un dîner (à New York), où dominait le sujet du jour : l'incertitude concernant l'élection présidentielle américaine. Ce soir-là, où il n'aurait dû y avoir d'intérêt que pour l'élection, Catherine eut le don inouï, à la stupéfaction générale, de faire dévier durablement la conversation sur l'indépendance irlandaise, les valeurs traditionnelles et la rudesse de la terre de ses ancêtres. Rien ni personne, pas même le dépouillement crucial des votes en Floride qui se déroulait au même instant, n'aurait pu lui voler la vedette. La moindre contestation émanant d'un convive se faisait aussitôt rembarrer.

Et Steven Spielberg. La dernière fois que nous nous sommes vus, c'était sur le plateau du tournage de son film *Minority Report*, film dont Tom Cruise est la vedette. Un vrai cascadeur. Dix fois de suite, dans un studio étouffant de chaleur, il reprendra, tous muscles tendus, la scène où, suspendu à un crochet de grue, il est projeté au-dessus d'une chaîne de voitures futuristes. Spielberg souriait. Il est pour moi un authentique visionnaire. Il reste attaché à Universal où il garde son grand bureau, son « lot », bien qu'il ait également créé la société Dreamworks avec Jeffrey Katzenberg et David Geffen.

Robert Redford, pour finir. Nous avions réuni, pendant les Jeux olympiques de Salt Lake City, les vingt principaux dirigeants du groupe à Sundance, son fief. Là où il a racheté, il y a plus de vingt ans, ses terres, où il a aménagé des maisons traditionnelles pour en faire, entre autres, un haut lieu du cinéma indépendant (le festival de Sundance). Un lieu magique où sont défendues les valeurs de tous les cinémas, dans leur grande diversité, face au tout Hollywood. Nous avons eu, avec Bob, quelques conversations passionnées. Conversations portant sur les enjeux de la planète, sur la nécessité de favoriser le développement durable, sur la diversité culturelle, la sincérité des engagements personnels. Sur la possibilité, aussi, lorsque l'on dirige une multinationale tournée vers le profit, de concilier la recherche de la profitabilité à court terme et les engagements à long terme pour l'humanité. Notre petit « sommet de la terre » à nous deux.

Quelques mois plus tôt, devant les cinq ou six mille employés d'Universal Studios réunis dans l'amphithéâtre des studios de Hollywood, j'avais présenté la vision de Vivendi Universal. J'avais accueilli ces équipes et tenté de leur montrer mon intérêt pour les comprendre, pour décrypter les règles de cette communauté fermée. J'ai choisi d'illustrer cet intérêt en reprenant quelques expressions typiques « d'ici », idiomatiques, souvent teintées de yiddish, et difficilement traduisibles. J'évoque le fait qu'ici, on ne prend pas de rendez-vous, on se « parle » (« *Edgar and I don't make appointments with each other. His people talk to my people* »). Les expressions caractéristiques pour les repas : le *power breakfast* (l'heure de la gymnastique), le *sushi lunch* (de l'influence des Japonais en Californie), le *pool side dinner* (avec le temps californien, les dîners sont toujours autour d'une piscine). Les petits mots utilisés à la place de Monsieur, comme en français « Mon vieux », là-bas *Baby, buddy* ou *bubbela*. Et quelques allusions au yiddish comme la différence entre un *kibbutz* et *kibitz* (ne pas se dégonfler) ou encore *hutzpah* (difficile à traduire, mais en gros : « en avoir »). Cela provoque des sourires, mais aussi une marque d'intérêt réelle.

Au-delà des réunions avec l'équipe qui dirige Universal Studios, autour de Ron Meyer et de Stacey Snider, je rencontre Jeffrey Katzenberg, l'un des cofondateurs de Dreamworks, le studio d'animation, récemment créateur de Shrek, personnage d'animation qui donne un terrible coup de vieux à Disney et à sa souris Mickey! Plus moderne, plus impertinent, une maîtrise parfaite de l'animation en 3D (trois dimensions). J'ai pleuré de rire en voyant ce Robin des Bois maladroit, toujours défenseur de la veuve et de l'orphelin, parlant anglais avec un tel accent français!... *Lovely but heavy* (adorable l'accent français pour les Américains, mais « lourd », difficile à comprendre).

Ce matin, on regarde un projet autour de Shrek pour les parcs d'attractions. Il y a encore beaucoup de travail à faire, des coûts à réduire mais j'aime son idée : bâtir – comme Disney – de vraies franchises, où l'utilisation d'un personnage populaire non seulement en film, mais aussi en séries télé, en musique, en livres, en jeux, dans les parcs, démultiplie son succès, sa visibilité, ses produits dérivés donc les recettes.

Finalement, la construction de telles franchises autour d'un personnage et au travers des différents métiers de contenus, c'est un peu la constitution d'une rente autour d'une marque. Un peu comme un parfum. Une fois l'identification, l'image de marque assurée, l'essentiel du risque d'investissement est passé et la rente, régulière, assurée pour l'avenir.

Faute de disposer de monopoles locaux ultraprofitables comme Viacom en matière de publicité ou d'affichage, la constitution de telles franchises, tous métiers, un peu « à la Disney », est pour Vivendi Universal un élément de cohérence, de profitabilité, de compétitivité vis-à-vis de ses concurrents. Il faut accélérer cette démarche et non la freiner. Laisser les métiers retourner « chacun chez soi » serait de ce point de vue une grossière erreur. Nous ne sommes pas du même monde avec Jeffrey, mais nous parlons en tout cas le même langage.

Avant de partir, ce 10 octobre, je vais visiter avec le rabbin May le musée de la Tolérance, qu'il a initié avec le rabbin Heier, au sein de la Fondation Simon Wiesenthal. Visite marquante, un mois après le 11 septembre. Pas seulement un lieu de mémoire mais un lieu où, en plaçant le visiteur face à des situations de racisme et de violence quotidienne, contemporaines, à l'aide d'outils interactifs, on oblige ce dernier à réfléchir, on le pousse à définir ce que veut dire le mot tolérance ou respect mutuel. L'endroit est formidable. Des milliers de policiers et d'enfants de Los Angeles y sont formés chaque année. C'est une idée pour laquelle on a envie de se battre. Un moment que l'on n'oublie pas. En mai 2002, le musée m'honorera de sa récompense annuelle. Une vraie fierté.

Un mois déjà. Voilà. J'ai choisi d'illustrer par ces quelques « rencontres » ce premier mois. Tellement conforme à mon objectif de réussir l'implantation sur le marché américain, en le comprenant, en dirigeant effectivement nos équipes, en cherchant à connaître les acteurs et en se faisant également reconnaître d'eux. Un mois qui porte, dans l'ombre du 11 septembre 2001, les germes – au-delà d'un Enron ou d'un World Com – de la peur, de la crise de confiance individuelle et collective qui va bouleverser le monde, les marchés, l'industrie dès les mois qui suivent.

Je pourrais poursuivre ce récit au fil des semaines au gré des rencontres, des négociations, des accords, des lancements de produits... Il y faudrait trois tomes ! Quelques mots encore sur les personnalités qui traversent cette histoire. La famille Bronfman, et tout particulièrement les Edgar père et fils. Au travers de la fusion avec Seagram, ils ont apporté tout leur patrimoine industriel, objet de conflits internes entre Charles, l'anti-*entertainment* (loisirs), et les Edgar, les pro-*entertainment*. Ils ont apporté leur pouvoir de contrôle aussi. Sans s'en rendre compte ? Ou plutôt en pensant ne jamais l'abandonner réellement ?

J'apprécie Edgar Senior, avec son recul et son expérience, avec l'aura de ses responsabilités communautaires, aussi. J'aurais aimé qu'avec le temps il puisse me considérer en « fils adoptif » – après tout je dois défendre son patrimoine. Son estime sera – sans surprise – proportionnelle au cours de bourse. De « fils adoptif » je terminerai en « étranger haï » avec l'effondrement du printemps 2002. Ayant conservé son réseau d'information interne, Edgar Senior saura toujours me donner son avis sur l'aménagement d'un bureau, la position d'une toile ou de la machine à café...

Edgar Junior est vénéré par son père. Rebelle ou romantique. Cultivant sa différence en tout cas. Marié tout d'abord à une chanteuse noire, puis à une catholique sud-américaine, Clarissa. Parolier, dont une fois pour Céline Dion. Gentil, d'aspect « doux » et conciliant. Cachant une grande capacité d'indifférence à l'autre en même temps qu'une vraie difficulté à décider. À Los Angeles, dans les studios, il a laissé le souvenir de celui qui oublie de venir pour soutenir l'équipe dans les périodes difficiles ou les échecs mais qui n'a jamais raté un avion pour partager les succès. Il est néanmoins celui qui a confié les clés du studio, et du succès, à Ron Meyer. Il est profondément attaché à Doug Morris, lequel le lui rend bien. Fin analyste, Edgar est homme à écouter, à solliciter pour ses avis.

Nos relations furent excellentes... aussi longtemps que le cours de Vivendi Universal, sans être spécialement brillant, surperformait ses compétiteurs en 2001, et tant qu'il fut à mes côtés dans une fonction exécutive jusqu'à fin 2001. Edgar aspirait à une autre vie, à s'occuper de ses intérêts familiaux proches, à un rythme de travail différent. Je n'étais pas prêt à lui donner la responsabilité de tout l'*entertainment*, fonction pour laquelle il serait resté, mais qui aurait inévitablement entraîné des forces centrifuges. J'ai été « réglo » avec lui s'agissant des conditions de son départ. En gentleman de part et d'autre.

Avec la baisse des cours vint automatiquement la fin de l'estime. Avec leur effondrement s'ensuivit – par pression ou par initiative –, la participation active à un accord familial promptement trouvé contre « le corps étranger ». Chacun son rôle : Sam Minzberg, l'avocat représentant Charles Bronfman à notre conseil, en agresseur patenté, Edgar Senior en sage jusqu'au dénouement, les deux autres administrateurs américains, l'un en agressif et l'autre en conciliateur (on ne sait jamais !), Edgar Junior assis en permanence entre deux chaises, mais de plus en plus instrumentalisé (pouvait-il ne pas l'être ?) par la famille. Se sentant certainement responsable vis-à-vis d'elle. Gêné dans nos conversations mais sincère. Cachant de plus en plus, dès les mois de février ou mars, ses intentions, ses contacts. Installé dans une logique croissante d'exclusion au moment où il aurait fallu ressouder nos liens pour agir à temps. Maladroit, le 24 juin, dans sa manière d'évoquer mon départ. Paniqué ensuite lorsque la difficulté estivale de trésorerie s'est présentée. Je ne lui en veux pas car ce qui est arrivé était sans doute dans les gènes du capitalisme familial américain. Mais nous aurions pu agir et gagner dans l'adversité, autrement.

Est-il donc écrit qu'un *little frenchman* ne saurait réussir dans ces métiers aux États-Unis ? Je ne le crois pas. Parce que la globalité et la diversité sont inscrites dans le sens de l'histoire. Parce que la reconnaissance des talents et la capacité à leur ouvrir les meilleurs réseaux, à leur assurer les meilleurs *hits* sont encore plus importantes que le fait d'être « juif américain ». Parce que les challenges, comme le piratage, imposeront finalement une vision globale. Parce que les marchés, les consommateurs, imposeront la prise en compte des racines et des cultures locales. Parce que tout cela, c'est la stratégie de Vivendi Universal.

Too bad (dommage) d'avoir connu en aussi peu de temps et avec une entreprise aussi jeune, la bulle, la crevaison de la bulle, le 11 septembre, Enron, Arthur Andersen, la faillite de la confiance, la panique des marchés, la peur castratrice de l'avenir et du mouvement, le retour des « papys actionnaires ». *Little frenchman* est parti. Comme Middelhoff, Pittmann, Levin, Koogle et quelques autres. Quoi qu'il en soit, ma conviction reste forte qu'un jour, un *little frenchman* montrera que le succès est possible. Et je serai là pour dire : « Bravo ! Bien joué ! »

Chapitre III
N'est pas Ambroise Roux qui veut

> « Faire confiance aux hommes, c'est
> déjà se faire tuer un petit peu. »
> Céline, *Voyage au bout de la nuit.*

Samedi 16 février 2002. Grand match de rugby France/Pays de Galles, à Cardiff! Quel rapport avec Vivendi Universal? Un Airbus... Et, à l'intérieur, plusieurs personnalités. À commencer par Claude Bébéar, l'ancien patron d'Axa devenu le président de son conseil de surveillance. Une belle réussite : il a fait d'AXA le premier assureur français et l'un des tout premiers leaders mondiaux. Le groupe est puissant en Europe, en Asie et aux États-Unis. Bravo. Voilà pour AXA. L'homme maintenant. Une institution, mais aussi un grand chasseur de fauves. Et pas seulement en Afrique. On va vite s'en apercevoir.

Avec lui, Serge Kampf, le fondateur du groupe de services informatiques Cap Gemini Sogeti. C'est un généreux mécène en même temps qu'un bon vivant qui aime partager avec ses amis sa passion pour les très grands crus et le rugby : le plaisir de se retrouver autour de ce grand patron réputé secret se prolonge généralement jusqu'à la troisième mi-temps du tournoi des Six Nations.

À bord de cet Airbus, on trouve plusieurs patrons du Club Entreprises et Cité, créé et présidé par Claude Bébéar. Un club qui réunit, autour de son charismatique chef, nombre d'entrepreneurs français qui ont tous fait serment d'entraide et de loyauté, à la manière gasconne, tels les Mousquetaires : « *Claude pour tous et tous pour Claude.* » Il y a Henri Lachmann, que Claude Bébéar imposa en 1998 comme patron contesté de Schneider Electric, après qu'il eut été victime lors de son précédent job – président de Strafor Facom – d'une OPA menée par Fimalac. Lachmann est aussi administrateur de Vivendi Universal. Nous y reviendrons. Sont également conviés Thierry Breton, candidat « nominé » à ma succession par les médias. Et Jean-René Fourtou, qui, finalement, me remplacera sur une idée originale de... Claude Bébéar ! Tout ce petit monde s'envole donc en Airbus privé, direction Cardiff, pour assister à ce match de rugby. On y a parlé ballon ovale, certes. Mais pas seulement. Plusieurs convives témoigneront en effet que Bébéar passera d'un siège à l'autre, répétant en substance :

« Savez-vous que cet Airbus privé appartient à Vivendi et à Messier ? Il est gentil de nous l'avoir loué. Mais ce pauvre garçon a complètement pété les plombs : un Airbus, avec douche s'il vous plaît ! Et ce somptueux appartement à New York, tout cela sur le dos de la société. Et puis, voyez ces nouveaux métiers dans lesquels il développe Vivendi Universal : la musique, le cinéma. Des métiers de saltimbanques. Des métiers pas sérieux. Non, décidément, il représente un danger pour la place de Paris. Et pour l'image de la France à l'étranger. Il faut agir, il faut avoir sa peau. »

Nous y voilà. Le tueur de fauves est entré en action. Tout au long d'une longue traque qui durera cinq mois, il ne lâchera plus sa proie : « Main basse sur Vivendi Universal. » « Dehors Messier ! »

Mais ici point de chasse à la loyale, face à face. Nous ne sommes pas dans une chasse capitalistique classique, où celui qui cherche à prendre le contrôle d'une société doit convaincre les actionnaires de lui apporter leurs titres. Non, nous sommes ici dans une traque à la française. Avec sa spécialité : les réseaux souterrains, celle des petits rabatteurs agissant pour votre compte, celle, aussi, des mensonges et des faux-semblants :

« Comment ? Moi, m'intéresser à Vivendi Universal ? Vous rigolez. Je ne suis même pas administrateur, alors vous pensez !... » Combien auront entendu Claude Bébéar tenir des propos analogues, au mépris de toute apparence... Encore dans une interview au journal *Le Point* en octobre 2002. Finalement, Claude Bebéar, c'est le Richard Virenque du capitalisme français. « J'ai été impliqué à l'insu de mon plein gré » comme diraient les Guignols. Dans ce genre de chasse souterraine, peu importent les contre-vérités et les approximations. L'important est qu'elles aient l'apparence de la vraisemblance et, surtout, qu'elles jettent le discrédit.

Cet Airbus n'est nullement un avion Vivendi Universal. Et encore moins un avion personnel. La société qui l'exploite – Aéro Services, en leasing temporaire avec Airbus – est bien une filiale historique de Vivendi Universal, mais ce partenariat remonte aux activités immobilières de la Générale des Eaux. Le groupe n'est plus qu'un client « ordinaire ». Il réalise moins de 10 % du chiffre d'affaires de cette compagnie aérienne. Cet Airbus, ce n'est pas « mon idée » – c'est la société Airbus qui l'a proposé à Aéro Services pour répondre à un marché réel, celui d'une aviation d'affaires en plein essor. Calculs faits, c'est pour eux un bon investissement. Mais cet avion ne m'est nullement destiné, pas plus qu'à Vivendi Universal. Personnellement, je n'ai jamais volé sur cet avion. Pas une heure! Quant aux équipes de Vivendi Universal, elles ne l'ont jamais utilisé – sauf une fois après le 11 septembre pour « évacuer » 30 cadres bloqués à New York et soucieux de retrouver au plus vite leurs familles. De nombreuses sociétés françaises ou européennes l'ont, en revanche, loué. Mais peu importe : l'accusation est si commode, la réponse, trop longue. En attendant, la rumeur court. Je paye au prix fort le prix médiatique d'un Airbus dans lequel je ne vole pas, mais qu'utilisent les « conjurés » pour une « virée rugby » entre copains. Paradoxe, paradoxe...

Avec maestria, Claude Bébéar multipliera pendant tous ces mois les insinuations publiques et privées. Dans les dîners, auprès de ses contacts patronaux, à l'occasion de rendez-vous politiques à l'Élysée et avec les principaux courants de la majorité présidentielle. Je n'oublie pas non plus les « vraies-fausses » et « fausses-vraies » interventions médiatiques. Un modèle d'hypocrisie, en même temps, il faut le reconnaître, qu'un modèle d'efficacité.

Des exemples? Cette soirée à l'Opéra Bastille, le mercredi 3 avril 2002. À la fin de la représentation du *Barbier de Séville*, Claude Bébéar, invité de Philippe Villin, le patron de la banque Lehman Brothers en France, converse avec Henri Lachmann. Deux personnes me rapporteront la scène avec les mêmes mots :

« *Henri, il faut en finir avec Messier. Tu dois agir.* »

Autre exemple. Mardi 16 avril 2002. Puisque Pierre Lescure, président de Canal+, est incapable de me proposer une solution de reprise en main décisive pour Canal+, je décide, afin d'assurer la pérennité de l'esprit Canal, fait d'indépendance et d'irrévérence, de lui confier la présidence du conseil de surveillance, et de nommer parallèlement une nouvelle équipe exécutive autour de Xavier Couture, transfuge de TF1. Avec Pierre, nous nous sommes téléphoné la veille. Rendez-vous est pris en fin de matinée. Puis Pierre me fait savoir qu'en raison d'un petit-déjeuner très important qui le retient à Madrid, il ne sera là qu'à 14 h 30. Soit! Vérification faite, Pierre Lescure n'est pas à Madrid ce jour-là mais bien à Paris! N'attendrait-il pas avant de me voir... la Une du *Monde*, ce 16 avril, opportunément sortie une heure avant notre rendez-vous décalé? Son titre : « Qui veut le départ de Messier? » sans oublier de mettre en avant... Claude Bébéar, bien sûr. Coïncidence? Quel esprit mal tourné pourrait le penser? D'ailleurs, l'après-midi même, les messages pacificateurs, à commencer par celui d'Henri Lachmann, dit « le petit messager », s'enchaînent.

« Et puisque tu as prévu, Jean-Marie, de rencontrer Claude demain, vous vous en expliquerez directement... »

Les rumeurs de ses multiples interventions se faisant plus nombreuses chaque jour, j'ai effectivement demandé à Claude Bébéar de le rencontrer le mercredi 17 avril dans l'après-midi. Jacques Friedmann, ancien président de l'UAP, naguère absorbée par Axa, et administrateur de Vivendi Universal, sera informé et reçu par Bébéar immédiatement après moi, tandis que Henri Lachmann sera lui aussi tenu au courant dans la soirée.

Ce fut un entretien « cordial mais sans concession », comme il se dit en termes diplomatiques. Lorsque la conversation s'engage sur Vivendi Universal, je m'aperçois que mon interlocuteur n'en connaît pas les principaux ordres de grandeur. Qu'il ignore que les métiers de l'environnement, très consommateurs d'investissements récurrents de maintenance et de croissance, non seulement ne génèrent pas de *cash flow* (c'est-à-dire d'argent disponible après les investissements, les frais financiers et les impôts), mais qu'ils en consomment beaucoup, bien loin de l'image d'Épinal d'un environnement « vache à lait ». Bébéar parle de la musique comme d'une activité américaine et peu rentable, alors que les États-Unis ne représentent que 40 % du chiffre d'affaires et qu'il s'agit au contraire d'un métier générant un *cash flow* confortable.

Cependant, une double obsession semble habiter mon interlocuteur : la nécessité, d'abord, de « sauver » Vivendi Environnement en maintenant son contrôle français. Mais cela signifie quoi ? Nul besoin d'être « contrôlé » pour être français, avec un actionnariat français et européen déjà dominant ! N'était-ce pas le cas de la Générale des Eaux depuis 1853 ? Pourquoi cela ne serait-il pas le fait d'un Vivendi Environnement pleinement autonome et séparé de Vivendi Universal ? Tout le monde sait que la meilleure des « pilules empoisonnées » susceptible d'empêcher Vivendi Environnement de tomber sous une « férule » étrangère, ce n'est pas Vivendi Universal qui la détient, mais que cette pilule se trouve dans son propre fonds de commerce, celui des collectivités locales et des hommes politiques français. Ces derniers étant, au passage, si prompts à se réjouir que l'eau soit française à travers plus de cent pays dans le monde, mais n'imaginant pas un instant qu'un étranger puisse entrer au capital de nos sociétés !...

En outre, Claude Bébéar est habité d'une seconde obsession : récupérer le *cash* de nos activités télécoms, à travers Cegetel, pour ensuite financer l'environnement. Mais ne serait-ce pas alors rester dans une logique de conglomérat ? Ne faut-il pas d'abord réfléchir, pour l'environnement, au désendettement et à une croissance optimisée au profit de meilleurs résultats pour les actionnaires ?

À mon tour, je rappelle notre stratégie. La réussite des premières actions d'intégration, la chance d'avoir un champion culturel français, le caractère réel, mais de court terme, des tensions financières si l'on va jusqu'au bout de la transformation du groupe. Je serai même gratifié en fin d'entretien d'un « Jean-Marie, je reconnais que ta stratégie est bien articulée et que tu es convaincant », phrase qui se transformera plus tard dans sa bouche, à l'occasion d'autres comptes rendus, en : « Nous sommes restés sur un désaccord majeur ! » Toutefois, Claude me rassure : « Je n'ai rien contre toi, d'ailleurs, je ne suis même pas administrateur et je ne connais pas Vivendi Universal ». Qu'à cela ne tienne : je lui propose d'entrer au conseil. Refus très ferme : « Tu comprends, cela n'est pas conforme à nos règles de gouvernance et nous n'acceptons pas de mandats extérieurs. Je n'ai que deux exceptions historiques : l'une pour Henri (Lachmann), l'autre pour la BNP. »

Mon hôte m'accompagne ensuite hors de son bureau. Nous descendons l'escalier, traversons la cour de l'hôtel particulier situé avenue Matignon, à Paris (tout un symbole), qui tient lieu de siège à AXA. Nous admirons quelques sculptures. Puis il se ravise et me dit : « Viens, avant de partir je vais te montrer la rénovation de notre rez-de-chaussée. Tu ne l'as sans doute pas vue. » Suit une visite guidée des superbes salons somptueux... et chargés comme seul le XVIIIe siècle savait les imaginer. Rien n'a été omis pour éblouir le visiteur. Plafonds, murs, peintures, tissus riches et lourds retombant doucement sur le sol. Meubles rares, tous signés, inestimables... Quel luxe ! Difficile, au demeurant, d'imaginer que ce musée ait vocation à être considéré comme l'archétype du modernisme et le siège ouvert d'une entreprise du XXIe siècle !

Les week-ends eux-mêmes sont bien remplis. Ainsi, durant celui de l'Ascension, le 9 mai, Claude Bébéar, Henri Lachmann et Thierry Breton se retrouvent dans un petit paradis, à Ouarzazate au Maroc. Palais rénové de grande allure dans une région sublime choisie par Françoise Colloc'h, collaboratrice de Claude. J'ai Lachmann au téléphone qui, sur place, me « garantit » qu'autour de la piscine le nom de Vivendi Universal n'a même jamais été prononcé...

Mercredi 22 mai. À la fin d'une interview avec la journaliste Valérie Lecasble, diffusée sur *Radio-Classique*, Claude Bébéar répond longuement sur Vivendi Universal... Le temps de l'émission est même dépassé. Sous couvert de leçon de gouvernance d'entreprises, chacun comprend qu'il appartient à un conseil de débarquer le président lorsque surgit un conflit relatif à la stratégie. Non sans avoir fort opportunément rappelé, quelques instants auparavant, que, bien que n'y connaissant rien, il lui semble clair que Vivendi Universal a un problème de stratégie ! Hors antenne, l'ambiguïté n'est plus de mise : « Le cinéma, la musique, je n'aime pas ces métiers. » Profonde analyse stratégique !

Le vendredi suivant, juste avant le week-end du Memorial Day, je reçois à New York un coup de fil personnel de Claude, qui aura toutefois pris soin de brancher le haut-parleur pour ses collaborateurs, m'assurant qu'il s'était fait « piéger » par cette journaliste malicieuse et qu'on ne l'y reprendrait plus.

Lundi 1er juillet. *France Inter.* Claude Bébéar sait que mon choix est fait, que j'ai décidé pour Vivendi Universal et par choix personnel de partir. Il a reçu quatre jours auparavant, le 27 juin, dans son bureau, Sam Minzberg, représentant l'une des branches de la famille Bronfman. Ensemble, ils viennent de s'accorder, selon sa proposition, sur le choix de Jean-René Fourtou pour me succéder à la tête du groupe. Il gratifie pourtant le journaliste d'un superbe « je ne peux rien confirmer puisque je ne suis pas dans cette affaire », voire « je ne peux pas vous dire s'il y a le moindre problème ».

Je passe sur les multiples contacts établis avec la rédaction du *Monde,* avec Jean-Marie Colombani et Alain Minc au mois de mars, entend-on dire. Sur les contacts politiques, dès janvier, pour mobiliser autour de Vivendi Environnement, rapporte-t-on. Sur les agitations et manipulations de « réseaux »... Tout cela sera certainement démenti.

Comme me l'écrira un ancien salarié de Cegetel : « Quand j'observe M. Bébéar en donneur de leçons, je serais tenté de dire : " De quoi je me mêle ? " M. Bébéar est comme ces " anciens " qui sont en retraite mais ne peuvent s'empêcher de tirer les ficelles pour passer pour les grands sauveurs quand les choses vont moins bien. En parlant de mégalomanie, M. Bébéar n'est pas loin du trône. »

Le 3 juillet au soir, Claude Bébéar devient non seulement administrateur de Vivendi Universal – les règles de gouvernance d'Axa auraient donc évolué depuis le refus motivé qu'il m'a opposé moins de trois mois auparavant? – mais également président du comité financier. Pourtant, son fauteuil reste vide. Ayant assuré la réussite de sa « chasse au Messier », il est parti en Afrique chasser de vrais fauves cette fois. À son retour en ce mois de juillet, et tandis que le cours d'Axa s'effondre, Claude est là, chez Vivendi Universal, au « bureau », tous les jours, en véritable « co-président ». Et même plus que cela. Il fournit tout : il fait don de sa personne à la place de Paris, et au conseil de Vivendi Universal. Il apporte un président, Jean-René Fourtou, ainsi qu'un président de comité de la stratégie, Henri Lachmann. Pour faire bon poids, il fournit également un auditeur avec Price Waterhouse. Le hasard faisant bien les choses, ce dernier se trouve également être l'auditeur d'Axa, mais aussi d'Aventis, dont est issu Jean-René Fourtou, et de Schneider Electric, que préside Henri Lachmann.

Certains feront remarquer que Claude Bébéar serait sans doute mieux inspiré de regarder chez lui. La performance d'Axa, pour ses actionnaires, est tout sauf grandiose. La moitié de sa valeur a été perdue en six mois. Les trois quarts en deux ans. Voilà qui autorise certainement à donner des leçons. En voyant le trio d'Axa à l'œuvre chez Vivendi Universal, un éditorialiste du journal *Les Échos* en appellera à « la paille et aux pompiers ». « Ce n'est pas la parabole de la paille et de la poutre, mais des esprits malicieux pourraient finir par l'évoquer... Parce qu'ils étaient inquiets de la situation de Vivendi Universal, trois hommes [Bébéar, Fourtou et Lachmann] ont pris il y a quelques semaines le pouvoir chez le géant des médias... Or ces trois hommes ont pour point commun de jouer un rôle de premier plan dans les instances de contrôle du groupe Axa... Sa valeur a fondu de 23 milliards d'euros en six mois. Les actionnaires pourraient se demander si les membres du conseil les plus impliqués dans le groupe ne devraient pas s'y consacrer davantage plutôt que de jouer les pompiers chez les autres. »

Reste la question : pourquoi ? Pourquoi cet acharnement personnel ? Ma relation avec Claude Bébéar a plutôt brillé par son absence. Pas de cadavres dans les placards et, certes, pas d'allégeance non plus. Pas de cadavres, quoique... Peut-être cela remonte-t-il à mon passage chez Édouard Balladur qu'il apprécie peu ? À mon choix de devenir banquier d'affaires chez Lazard, maison avec laquelle ses relations sont parfois difficiles ? À la création du Club de jeunes patrons que je préside, « le Club 40 », sans être préalablement allé faire allégeance auprès de lui et de son Club Entreprises et Cité ? Ai-je alors péché par arrogance ou par ignorance ? Peut-être cela remonte-t-il aussi à l'éviction de Pierre Dauzier, qui présidait Havas lorsque nous en avons pris le contrôle, le plus normalement du monde, c'est-à-dire dans le cadre d'une offre publique aux actionnaires ! Pierre est très proche de Claude, lequel proposera naturellement son intermédiation pour négocier ses indemnités de départ de Havas. Et elles furent plantureuses. Cela semble un peu court pour forger une haine tenace, mais sait-on jamais ?

Peut-être ai-je eu « tout faux » pour lui ? Quoi d'autre ? Est-ce l'instinct du chasseur de fauves qui domine et cherche ainsi, inlassablement, une proie à éliminer ? Possible.

Serait-ce par intérêt pour Vivendi Universal, ses métiers et ses hommes ? Peu convaincant. Il ne connaît ni les uns, ni les autres. Pas plus d'ailleurs, qu'il n'a d'estime pour leurs métiers. Il l'a magnifiquement prouvé au cours d'une intervention surréaliste qu'il a faite dans le cadre de l'Université d'été du Medef, fin août, en défendant des thèses difficilement compatibles avec les valeurs multiculturelles de Vivendi Universal. « La race blanche est en train de se suicider » avait-il lâché, dénonçant sa faible démographie. Bravo pour un groupe qui défend la diversité ! Un dérapage réitéré en outre quelques instants plus tard, devant une assistance médusée : fustigeant la société de l'image qui privilégie l'émotion sur la raison, il y a également dénoncé le « crétinisme rampant » auquel elle conduit.

Pour un groupe leader mondial du cinéma et de la télévision, c'est superbe. Un mépris invraisemblable, en technicolor grand écran, pour les dizaines de milliers de salariés qui attendent plutôt de la nouvelle équipe qu'elle les encourage. Rien, cependant, ou presque, ne filtra dans les médias ou dans la classe politique. À l'exception du... *Monde*, qui ouvrira deux jours plus tard ses colonnes à un Bébéar soucieux de corriger, sans le dire, son dérapage sans doute pas si incontrôlé que cela !

Serait-ce pour défendre la « francitude » de Vivendi Environnement ? Par pression amicale des politiques ? Curieux tout de même.

Est-ce par souci de meubler une retraite arrivée trop tôt depuis qu'il a passé la main à son successeur chez Axa ? J'y crois davantage. Mais je mets surtout cette hargne sur le compte d'une volonté farouche de s'afficher au-delà de sa réussite personnelle comme LE parrain du capitalisme français. Celui qui fait et défait les patrons, celui qui juge les bonnes et les mauvaises stratégies, les bons et les « mauvais » métiers, celui dont les poulains et les vassaux sont récompensés comme les grognards du Premier Empire.

Et comment s'est faite l'alliance avec les Américains les plus acharnés comme Sam Minzberg ? Sans doute plus simple. Pain béni pour eux de trouver un patron français prêt à en trahir un autre, inespéré et tellement inhabituel. Prêt également à leur présenter certains politiques.

Rares sont ceux qui – comme l'ont fait *Libération* et *Les Échos* – s'interrogent sur le « retour des papys » ou sur le « retour du capitalisme de grand-papa ». Eux seuls oseront souligner le retour à dix ou quinze ans en arrière qu'illustre ce capitalisme d'influence. Celui qui autorise « à quelques personnalités extérieures au conseil d'administration d'une entreprise de s'organiser pour critiquer sa stratégie, justifier son mode de fonctionnement et éventuellement déstabiliser ses dirigeants ». Ou encore qui permet de « surveiller les places fortes du capitalisme hexagonal comme les suzerains du Moyen Âge faisaient et défaisaient leurs vassaux ». Ce retour à des mœurs que l'on aurait pu croire enfouies au musée de l'histoire économique est décidément bien loin de redorer le blason du capitalisme français.

Un homme, pourtant, a exercé autrefois une très forte influence sur ce capitalisme français. C'est Ambroise Roux. Il était doté d'une intelligence et d'une subtilité inouïes. Il avait la capacité de regarder les gens en face. Il était animé d'une farouche volonté de défendre les ambitions françaises, en se mettant à leur service.

Mais n'est pas Ambroise Roux qui veut.

Chapitre IV
Dallas, côté fond de cour

> « La calomnie est comme la fausse mon-
> naie : bien des gens qui ne voudraient pas
> l'avoir émise la font circuler sans scru-
> pule. »
>
> *Diane de Beausacq*

« Vous me faites penser à Clinton ! » Ce 26 février
2002, assis en face de Sam Minzberg, l'avocat canadien
qui représente la branche de Charles Bronfman (actionnaire à 2,5 % du groupe) au Conseil de Vivendi Universal, je reste coi quelques secondes, n'en croyant pas mes
oreilles.

La scène se passe dans son bureau, à New York, un
étage en dessous du mien, un bureau rempli d'œuvres
d'art, tendance Nikki de Saint-Phalle. Sam est très agité
sur son fauteuil, bougeant dans tous les sens.

Il vient de m'envoyer, avec copie à chaque administrateur, une charmante lettre m'accusant de mille maux
dont celui de privilégier mon intérêt personnel sur celui

du groupe. Je suis outré, révulsé et lui demande une explication.

« Lorsque vous voyez la chute du cours de bourse, les difficultés actuelles, les critiques que vous adressent les analystes, à quoi pensez-vous d'abord ? me demande Sam.

— Je pense d'abord à me battre pour le groupe. La reconnaissance de la valeur de ses actifs, de ses performances opérationnelles et je m'y consacre dix-huit heures par jour.

— Vous me faites penser à Clinton !

— Pardon ? »

Je reste incrédule. Je ne comprends pas ce que vient faire Bill Clinton dans notre discussion.

Sam embraye :

« Eh bien oui, la première fois qu'on lui a demandé s'il avait eu des relations sexuelles avec Monica Lewinsky, il a répondu qu'il s'occupait avant tout des affaires des États-Unis d'Amérique... »

Devant tant de vulgarité et d'indécence, les bras m'en tombent. Et je ne demanderai pas qui est Monica dans l'histoire...

Mais cela ne m'étonne pas totalement de la part de mon interlocuteur.

Sam Minzberg ? Dans la famille Bronfman, demandez l'avocat, l'agressif ou le grossier. Sam, donc, m'a déclaré la guerre, au nom du clan, au nom de la famille. La chute des cours de bourse de Vivendi Universal représente à l'évidence une perte de valeur patrimoniale considérable pour la famille, et je le comprends. Dans un syndrome très américain – « le cours baisse, virons le président, le cours remontera et on vendra » – c'est Charles qui décide le premier d'agir au travers de Sam Minzberg.

Il est la caricature du système juridique américain où des procès sans fin, et souvent sans motifs, finissent par refréner bien des initiatives et par coûter une fortune à la société américaine, les avocats multipliant les procédures et se rémunérant au pourcentage des dommages et intérêts qu'ils obtiennent! Ce système poussé à l'excès par certains avocats aux États-Unis est très pervers et n'est d'ailleurs pas plus protecteur qu'un autre. C'est la qualité des « règles », des lois, qui doit faire la sécurité d'une société et pas la multiplication des procédures.

Un tel système peut assez naturellement engendrer les « Sam Minzberg ». Je ne suis pas un premier prix de tendresse, le métier de patron oblige à prendre des décisions parfois douloureuses en termes d'hommes et d'emplois. Mais jamais je n'aurais imaginé possible autant de brutalité dans certaines méthodes, lorsque se déclenche la décision d' « éliminer ». Tout y passe. Harcèlement systématique. Sam envoie mail sur mail, parfois plusieurs fois par jour à moi-même ou à mes collaborateurs, harcelant les administrateurs français jusque sur leur téléphone portable ou à leur domicile afin de leur faire peur quant à leur responsabilité, ce qui se révélera très efficace. Sam démarchera directement nos actionnaires pour les monter contre les dirigeants. Sam m'a donc, déjà, ce 26 février, demandé de quitter le groupe et de démissionner. Il m'incite fortement à inscrire ce point à l'ordre du jour du prochain conseil.

« Avec l'assentiment du reste de la famille?

– ... Juré... non... »

Et pourtant, la rumeur court à propos d'une rencontre familiale qui s'est secrètement tenue chez Edgar Junior, réunissant notamment Edgar Senior et Charles, l'employeur de Minzberg. L'ordre du jour consistait à faire cause commune pour reprendre en main Vivendi Universal, en tout cas ses actifs américains. Cette rumeur est revenue jusqu'à Paris *via* Londres et un membre de la famille de Charles. Elle circule aussi à New York, *via* des témoins oculaires. Ah! les témoins... On retrouvera d'ailleurs l'allusion à Bill Clinton dans le *Wall Street Journal*, précisément dans sa version européenne mais pas américaine. L'éditeur américain, plus scrupuleux, a refusé cette allusion faite de façon anonyme... et comme Sam, pas plus que tout autre administrateur, ne parle jamais aux journalistes, c'est bien connu, l'histoire a sauté. Tout cela n'est donc que pure coïncidence. D'ailleurs Jo Johnston du *Financial Times*, Martin Peers, du *Wall Street Journal* à New York, et Bruce Orwald à Los Angeles sont prêts à en témoigner!

En conseil, Sam est aidé dans sa tentative de déstabilisation agressive par un autre administrateur américain, Dick Brown, président d'EDS, société de services informatiques dont le siège est à... Dallas!. Lui non plus, ayant vécu avant à Londres pour diriger Cable and Wireless, ne connaît ni ne parle au *Financial Times* ou au *Wall Street Journal* – Promis, juré –!! Mais en conseil, il parle. Comme ce 29 mai à New York où il évoque avec une brutalité féroce : la chute de « notre » cours... le manque de « crédibilité » de « notre » président... la nécessité de « tenir » les résultats opérationnels...

25 septembre 2002. Dick Brown démissionne du Conseil VU, mission accomplie. Donneur de leçons? regardons EDS : son cours s'est effondré de 86 %, divisé par près de 7 depuis le début de l'année... EDS a annoncé de brutaux avertissements sur ces résultats opérationnels... La SEC enquête... Quant à Dick, sa rému-

nération totale en 2001 s'est élevée à 55 millions de dollars, ou autant d'euros... « parce que ma femme me coûte cher », comme il a répondu avec « humour » à un actionnaire lors de son Assemblée Générale. On croit rêver. Beau « donneur de leçons ».

Grâce à Sam et Dick, nos conseils seront animés. Cela fait partie de l'intimidation, notammment vis-à-vis des européens.

17 juin 2002. Le conseil délibère à Paris sur Vivendi Environnement. C'est un conseil exceptionnel. Les administrateurs étrangers y assistent par visioconférence. Ils sont répartis dans cinq lieux différents. Paris, Londres, New-York, Dallas... L'écran de contrôle installé dans la salle du conseil ressemble à une « mosaïque ».

Sam, à son habitude, ralentit les délibérations, focalise l'attention, détourne les débats du cœur du sujet. Simon Murray, un administrateur anglais, lui fait une remarque. Simon est un homme remarquable. International mais francophile, il a siégé sept ans auprès de Francis Mer, aujourd'hui ministre des Finances, au conseil d'Usinor. Et il s'apprête maintenant à rejoindre celui de Danone. Il a vécu très longtemps en Asie, où il a notamment dirigé le groupe Hutchinson pour le compte de la famille Lee Ka Shing, ce qui est un privilège rare pour un « non asiatique ». Il est également connu par son étonnant passé de légionnaire, dont il a tiré un best seller intitulé simplement *Légionnaire*, qui s'est vendu à plusieurs millions d'exemplaires dans plusieurs langues !... C'est un homme sympathique, efficace, droit et direct.

Sam se plaint de ne pas avoir lu certains documents faute de délais suffisants. Simon lui répond qu'il n'a qu'à faire son travail d'administrateur et que vendre une partie de Vivendi Environnement s'impose. Le ton monte.

Sam : « Je ne voterai qu'après avoir lu les documents et, de toute façon, seul un imbécile voterait contre. » Simon : « Parfait. Alors votons. Sam, vous pourrez voter après et je serai intéressé, compte-tenu de ce que vous venez de dire, de connaître votre vote. »

« *Fuck you* », « Je vous emmerde », sera la réponse professionnelle de Sam ! J'interromps le conseil me demandant comment on peut exercer une telle responsabilité et adopter un tel comportement.

Sam interrogera par la suite Guillaume Hannezo, mon directeur financier, afin de savoir si des relations douteuses, d'argent n'existent pas entre Simon Murray et moi-même. Lorsque celui-ci lui répondra que non, il n'existe ni contrats, ni prises de participation, Sam Minzberg insistera :

« Avez-vous vérifié leurs comptes bancaires ?... »

Comme avocat, il est sans doute amené à fréquenter les cas de conflits d'intérêt personnels, de fraude, de corruption !... Mais ici, chez Vivendi Universal, nous ne sommes décidément pas du même monde. Seulement voilà. Cet homme, pour qui tous les coups sont permis, toutes les insinuations autorisées, a finalement réussi à impressionner les plus faibles et les plus fragiles de mes administrateurs français. Nous sommes des enfants de chœur face à de tels procédés.

Cette agressivité, cette attaque de front incessante et sans limite était bien le rôle qui lui était assigné. À l'issue d'un conseil à New York, le 29 mai, particulièrement long puisqu'il aura duré huit heures dont trois perdues à gérer l'énervement et les vociférations de Sam Minzberg – à la limite du maladif ou du maniaque – on retrouvera un petit mot manuscrit que lui avait transmis en cours de conseil un membre de la famille : « Sam. Attention. Tu en fais trop. Tu vois bien que ta stratégie a pour premier effet de ressouder les Français entre eux. »

Reste que ce harcèlement permanent nous a coûté une énergie, une dispersion et une perte de temps considérables au moment où tous nos efforts — en présence de marchés financiers désastreux — auraient dû être consacrés à gérer le groupe. Cette hostilité exprimée au sein même du conseil a allongé de manière inexcusable la durée des séances tout en restreignant, du même coup, la qualité des discussions. Au moment où le management et le conseil auraient évidemment dû travailler au coude à coude sur les questions les plus sensibles, où il eût fallu se focaliser sur les problèmes de court terme du fait même de marchés financiers devenus irrationnels, chaque séance tournait au réquisitoire, au procès de bas étage. Ne manquait que la lampe dans les yeux et les questions : « Répondez par oui ou par non. »

Le harcèlement débordait du cadre du conseil.

L'objectif des mails dont il assaillait les administrateurs était de semer le doute parmi eux, d'user leur résistance, jusqu'à les faire capituler : « Ça suffit. S'il faut leur donner la tête de l'équipe, donnons-la et revenons à un cours normal des choses. » Les sous-entendus les plus pénibles portaient sur mon honnêteté et mon intégrité personnelles. Au travers de mails qui m'étaient adressés. Exemple : « Le premier critère de sélection d'un titre pour les investisseurs aujourd'hui est l'intégrité du CEO (*Chief Executive Officer*, du président en français)... et soyons honnêtes, vous ne figurez pas haut dans cette échelle. »

Ou encore ce texte transmis à Marc Viénot, l'ancien président de la Société Générale en charge du comité des comptes, qui débute par une allusion faite à la société Tyco et à son président accusé de fraude à la TVA et suspecté d'avoir reçu des prêts sans intérêt de sa société, pour des centaines de millions de dollars. Écœurant, tant cela respire l'allusion, l'amalgame : « L'intégrité du CEO a une influence extrême sur les cours des titres aujourd'hui, positive ou négative, et disons-le franchement, très négative pour nous. » Autant de mises en causes insidieuses, jamais franches, jamais étayées, et pour cause, mais redoutablement efficaces pour miner les fondations de la confiance. Calomniez, calomniez, il en restera toujours quelque chose.

En la matière, les sommets ont été atteints avec l'appartement de New York. Un appartement acquis par la société, afin que je l'occupe, dans le cadre des dispositions de nos programmes d'expatriation. La polémique, pour dire les choses gentiment, battait son plein au moment où, par une coïncidence totalement fortuite, Sam Minzberg m'écrivait ainsi qu'à Marc Viénot sur ce sujet. Qui avait choisi cet appartement ? À qui appartenait-il ? Quels travaux ? Quels meubles et objets d'art ? Parallèlement, un dossier commençait à circuler dans les rédactions sur les mêmes thèmes. J'ai ainsi reçu de la part de Jo Johnston, du *Financial Times,* un mail dont les questions étaient plus conformes à un torchon de tabloïd qu'à un journal économique, laissant même entendre que cet appartement aurait pu être acquis auprès d'une personne avec laquelle j'aurais entretenu par ailleurs des relations.

Cet appartement était simplement le reflet de ma double vie professionnelle, à Paris et à New York, rendue nécessaire en raison de la nature du groupe. C'est Vivendi Universal – et non moi-même – qui a fait le choix patrimonial d'acheter plutôt que de louer. Un bon calcul au demeurant puisque l'appartement a pris de la valeur depuis. Combien de groupes américains ou asia-tiques souhaitant développer leurs activités en Europe ont-ils acquis des appartements pour faciliter la vie de leurs dirigeants, que ce soit à Londres, à Paris, à Rome ou à New York ? Combien d'appartements situés avenue Hoche ou avenue Montaigne sont-ils en fait destinés à des dirigeants étrangers ?

Voici la réalité : cette acquisition de 17,5 millions de dollars fut agréée et mise en œuvre par Edgar Bronfman Junior, en tant que vice-président, après consultation des services immobiliers de Seagram. Dans le même temps, les ventes de trois avions américains, d'un hélicoptère, d'une maison à Londres ou d'un centre de « formation » en Virginie, tous détenus par Seagram, rapporteront au fur et à mesure de leur réalisation cinq fois plus à la société.

Il fut décidé que le montant des travaux serait limité à 10 % du prix global, le surplus étant intégralement payé par moi, de même que tous les meubles, les objets et œuvres d'art qui m'appartiennent, sans exception. C'est ainsi que, pour avoir le « privilège » d'habiter dans cet immeuble de Park Avenue, non loin des bureaux de Vivendi Universal à New York, j'ai versé à l'entreprise un chèque personnel de 936 000 dollars, soit la moitié de mon salaire net d'impôt pour l'année 2001 ! Ils me seront remboursés à mon départ. Je ne me plains évidemment pas. Je rétablis la vérité.

Poursuivons sur le chapitre des rumeurs. J'aurais donc bénéficié d'un prêt gratuit de Vivendi Universal, ou d'une garantie, pour pouvoir exercer mes stock-options. Pur mensonge. Pure calomnie. 0 franc, 0 euro, 0 dollar ! Et si j'ai levé une large partie de mes options à 50 euros, si je me suis endetté, à titre personnel, exclusivement à cette fin, c'est parce que je crois à Vivendi Universal, à sa valeur réelle. Et que je reste convaincu du fait que, si le groupe n'est pas démantelé en dépit du bon sens, le marché reviendra forcément sur la qualité de ses performances opérationnelles et sur la valeur de ses actifs. Ce prêt personnel dépasse les 5 millions d'euros. Je l'ai souscrit auprès de la Société Générale où j'ai mon compte familial, à un taux normal, de 4,6 % fin 2001, avec comme seules garanties mes actions Vivendi Universal. Je ne m'en suis pas « mis plein les poches ». J'ai investi et je me suis endetté pour investir dans l'entreprise. Parce que j'y crois.

Comme me le diront plusieurs journalistes, et je n'accuse personne, faute de preuves, « jamais, dans aucune affaire, nous n'avons reçu autant de visites de coursiers laissant négligemment un document sans origine sur notre bureau, et repartant à toute allure ». Et que dire de l'aspect franchement *Dallas* de cette affaire ! Bienvenue au petit royaume des intrigues en tout genre, des investigations inavouées, des officines de l'ombre dont l'une, que nous baptiserons « A », sise à Londres, a la délicatesse de compter parmi ses membres l'ancien officier d'un pays étranger limogé pour sévices sur des prisonniers ! Filatures, espionnage de mes moindres faits et gestes, de mes moindres relations, mise sur écoute de mes téléphones, manipulation des enregistrements, des photos ou supposées photos, création et amplification de rumeurs ou dossiers à destination de mes administrateurs et des rédactions, la panoplie des James Bond en herbe fut complète. « Da-llas... ton univers impitoyable » existe. Je l'ai rencontré. J'ai conservé chez un avocat un dossier complet sur ces exactions. Contacts avec nos concurrents pour nous déstabiliser, liens avec des officines et des journaux pour lancer des rumeurs, touchant y compris mes proches. Rien ne m'a été épargné. Mon erreur : avoir supporté ces méthodes de voyous au nom du groupe et ne pas en avoir averti ouvertement mes administrateurs lorsqu'il en était encore temps. Péché d'orgueil ou d'honneur. Personne n'aime avoir à raconter ce genre de mauvais polar.

Revenons à Sam Minzberg et à Charles Bronfman. Comme Canadiens, ils ont beaucoup d'amis dans ce pays, souvent très francophiles. À l'image de Paul Desmarais Senior, un très grand chef d'entreprise canadien, devenu la première fortune du pays, qui a bâti son empire dans l'énergie, avec Power Corporation, avant de se diversifier dans les assurances et la finance. Très écouté des dirigeants chinois, pays où il est très puissant, ami intime d'Albert Frère, le grand et chaleureux homme d'affaires européen. J'ai beaucoup d'estime pour Paul et sa famille. Sympathique clin d'œil de l'histoire. Qui sait, en effet, que la face de l'industrie des médias aurait pu être changée il y a maintenant plus de dix ans grâce à Paul Desmarais senior et la Générale des Eaux ? À cette époque, Paul Desmarais senior négociait une prise de participation majeure dans le géant américain des médias Time Warner, avec son président Steve Ross, quelques mois avant la mort de ce dernier. L'accord était sur le point d'être trouvé, mais Paul souhaitait ne pas prendre ce risque seul. Il cherchait un associé européen et avait pensé à la Générale des Eaux, au travers de mon prédécesseur Guy Dejouany. Il avait demandé à la banque Lazard, par le biais de deux de ses associés, Antoine Bernheim et moi-même, de le représenter. Hélas, j'avais été incapable de convaincre Guy Dejouany, adepte des petits pas et très réticent car maîtrisant mal l'anglais, effrayé par le montant de l'investissement nécessaire (1 milliard de dollars)... Imaginez pourtant ce qu'aurait donné pareille association : les Desmarais et la Générale des Eaux premiers actionnaires de Time Warner... Qui sait alors si AOL et Time Warner auraient fusionné ? Les Desmarais ne seraient vraisemblablement pas actionnaires de Bertelsmann. Et la stratégie média de Vivendi Universal ne serait pas passée par Universal et Seagram. Ainsi va la vie des affaires.

Voilà pour « OK Corral », pour « Dallas chez Vivendi Universal ». J'avoue manquer de cynisme pour trouver du plaisir à l'avoir vécu ou observé. Et davantage encore pour ne pas l'avoir utilisé en retour.

Il n'empêche. Je suis choqué d'avoir vu une partie de l'establishment français faire ainsi alliance avec de telles méthodes. Pourquoi s'être ainsi associés à des intérêts dont la finalité était de déstabiliser une des plus belles entreprises françaises pour *in fine* prendre le risque de redonner le contrôle d'actifs formidables à des actionnaires qui avaient vendu à Vivendi Universal leur société avec une prime respectable ? Il eût bien mieux valu rejeter ces alliances et organiser avec l'équipe dirigeante les choix clairs et immédiats pour passer la période sensible ! Comment, aussi, ne pas voir ici la traduction d'une différence profonde de culture managériale entre Français et Américains que j'avais sans doute sous-estimée ? Les Français recherchent en général le consensus et prennent peur en l'absence de celui-ci. Les Américains sont simplement brutaux face à leurs intérêts patrimoniaux. Ni injustes, ni immoraux, ils sont juste amoraux quand il s'agit d'argent. « Le cours est bon : je t'aime. Le cours est mauvais : je ne t'aime plus. Le cours s'effondre quelle qu'en soit la raison : je t'élimine. »

Cela me rappelle ce que Steve Ross, le développeur de Time Warner, qui fut l'un des patrons les plus impressionnants que les États-Unis aient jamais connus, disait :

« Dans l'industrie des médias, avec tous ces projecteurs braqués sur vous, on vous considère toujours comme meilleur que vous êtes lorsque votre cours de bourse est haut et on vous considère toujours comme pire que vous êtes lorsque votre cours est bas. Il ne faut être dupe ni de l'un, ni de l'autre. »

Pas d'amertume donc. Juste un constat. J'en avais accepté les risques.

Chapitre V
Demandez « Le Monde » !

> « La calomnie est une guêpe qui vous importune et contre laquelle il ne faut faire aucun mouvement, à moins qu'on ne soit sûr de la tuer, sans quoi elle revient à la charge, plus furieuse que jamais. »
>
> Chamfort, *Maximes, Pensées, Caractères et Anecdotes.*

Vendredi 13 octobre 2000. J'ai réuni ce jour-là quelques journalistes pour leur annoncer l'accord de Bruxelles sur la fusion avec Seagram, avec quelques conditions – traditionnelles et raisonnables dans le cas présent... Cet accord a été obtenu dès la première phase d'instruction, c'est-à-dire rapidement, ce qui est d'autant plus rare pour une fusion de cette taille. C'est donc une excellente nouvelle.

La veille, dans son numéro daté du 13 octobre, *Le Monde* annonce pourtant dans sa manchette : « Bruxelles bloque la fusion Vivendi Seagram. » Quatre colonnes à la une – très inhabituel pour une nouvelle concernant une entreprise et encore plus pour une nouvelle d'inspiration « administrative » –. Pas de conditionnel. Ni pour deux des trois sous-titres : « Elle ouvrira une enquête de 4 mois », « Sa décision renforcera les doutes des investisseurs. » À la Une ! À l'heure de sa sortie, je suis en présence de trois cents investisseurs réunis à Paris pour leur présenter la fusion. Pour éviter la panique, la manipulation de marché... il faut leur parler. Pour préserver le « oui » de Bruxelles, qui est en bonne voie, il faut ne rien révéler.

Exercice d'équilibriste délicat. Je m'en sors avec une pirouette :

« Vous lirez dans un quotidien du soir, soi-disant sérieux et de référence, une nouvelle. Ne la prenez pas au pied de la lettre et souvenez-vous : une négociation n'est jamais terminée avant la ligne d'arrivée. Je suis et reste raisonnablement optimiste. Cette opération est une chance pour l'Europe, pour l'Europe de la culture, pas une menace ! »

Le cours dévissera de 7 % le soir à la bourse de New York. Terrain qu'il regagnera très vite le lendemain après l'annonce de la vraie nouvelle : le « oui » de Bruxelles. *Le Monde*, s'il était un journal américain, n'aurait pas pris le risque de titrer à l'indicatif, de manière aussi formelle, sur une nouvelle qui restait incertaine. Dans le cas contraire, il aurait été poursuivi et vraisemblablement condamné.

Je suis ulcéré. *Le Monde*, le journal de référence de mes études. Un coup de Jarnac pareil. En Une. Sans prévenir, sans vérifier, sans précaution. Pourquoi ? Cette question, je me la poserai souvent...

J'ouvre donc la conférence de presse où tous les journalistes ont en tête la Une du *Monde* de la veille : « Nous attendons tous pour ce soir la décision de Bruxelles. Cette décision est maintenant prise. Comme chacun sait, *Le Monde* fait référence. Tournons-nous donc vers leur Une pour savoir. » Et je projette une « fausse vraie » Une du *Monde* reprenant celle de la veille en changeant juste le mot « bloque » par « autorise ». Le titre à la une devient donc : « Bruxelles autorise la fusion Vivendi-Seagram. »

Éclats de rire des confrères, généralement peu charitables, confusion des journalistes présents du *Monde*.

Le lendemain samedi, *Le Monde*, qui pouvait difficilement faire autrement, publie une nouvelle Une, cette fois-ci sur l'accord de Bruxelles. Je ne suis pas sûr que *Le Monde* ait souvent dû publier deux Unes contradictoires à deux jours d'intervalle sur le même sujet.

Le Monde s'offrira néanmoins deux plaisirs. Le dessin de Plantu où j'apparais au côté de Robert Hue, secrétaire du Parti communiste, en train de sabler le champagne et lui disant, sous le mot concessions « je vous laisse les ventes du muguet du 1er mai ». Allusion lourde aux procès pour trafic d'influence de certains dirigeants de l'ancienne Générale des Eaux. Période révolue, mais il est trop tentant de mouiller Messier. Suit un éditorial alambiqué, expliquant qu'en révélant les difficultés de la négociation avec Bruxelles, *Le Monde* nous a réveillés et permis de bouger. En quelque sorte, merci, *Le Monde*!

Entre *Le Monde* et moi, c'est déjà une vieille histoire.

Combien de fois n'ai-je pas entendu « ne vous fâchez pas avec un journal, en particulier *Le Monde*. Ils sont puissants. Et s'ils se décident à utiliser cette puissance contre vous sans scrupule, sous le cache-sexe de " nous recherchons la vérité pour nos lecteurs ", vous perdrez, forcément ». Je n'aurai certainement pas dû me « payer » ce plaisir de corriger *Le Monde*. Mais j'étais tellement excédé! Notre conflit vient de loin. De la vente de *L'Express*, que j'ai stoppée en 1998 après la prise de contrôle de Havas. Tout a été dit à l'époque. *Le Monde*, candidat contre Dassault, fut rejeté par l'immense majorité de la rédaction. Comme quoi les méthodes de fonctionnement du *Monde* ne sont pas forcément perçues comme le nirvana par l'ensemble des journalistes. *Le Monde* connaîtra en 2002 le même revers, massif, de la part de la rédaction du *Nouvel Observateur*.

Le Monde était tellement convaincu que *L'Express* lui était dû qu'il avait proposé de le racheter à un prix bas, avec très peu de *cash*, en pompant l'argent dans la caisse de l'hebdomadaire et en renvoyant le paiement du solde à un horizon de six ans sans garantie. Qui aurait accepté une telle transaction dont aucun journaliste, d'ailleurs, ne voulait? Ma femme se souvient encore, comme probablement mon chauffeur, du coup de fil que j'ai reçu dans la voiture, la veille du Conseil de Havas, alors que je partais dîner chez Philippe Camus, l'actuel dirigeant d'EADS (Airbus et Aérospatiale). Il me dit en substance : « Ici, Jean-Marie Colombani... Si vous ne nous vendez pas *L'Express*, vous verrez ce que cela coûte d'avoir *Le Monde* contre soi pendant vingt ans! »

Jean-Marie Colombani a tenu parole. Nous en sommes à quatre ans. *Le Monde*, chacun a pu le constater, la journaliste Martine Orange en tête, mène un combat « anti-Messier ». Peu importent les approximations, les méthodes, la recherche de « taupes » au sein de Vivendi. Seule la fin compte.

Dix Unes du *Monde* en deux ans. Dont sept en trois mois, en quatre-vingts jours pour être précis, entre le 17 avril et le 3 juillet, avec, cerise sur le gâteau, six dessins de Plantu, dont trois Unes successives les 17, 18 et 19 avril 2002. Un record! Le harcèlement fut permanent.

Jugez plutôt. Le 17 avril : « Vivendi : qui veut la chute de Jean-Marie Messier ? » avec, déjà, Claude Bébéar et un charmant Plantu où je suis traîné, enchaîné, à l'échafaud. Le 18 avril : « Canal+ appelle à la révolte contre Jean-Marie Messier. » Révolte, échafaud... Vivendi / Canal+ doit être le principal sujet national et international du moment. Le sort de la France et des Français semble se jouer ici. J'imagine que, pour le reste, l'information est un immense désert pour donner tant d'importance à cette affaire.

Que se passe-t-il dans le vrai monde ? Peu de chose, sans doute... En tout petit, le 17, on trouve une référence à la situation au Proche-Orient. Problème mineur à l'évidence ! En milieu de page, le 18, comme titre « secondaire », figure une indication concernant un « petit » événement à venir, quelques jours après, le premier tour de l'élection présidentielle, ainsi que l'évocation d'un « petit » risque, celui de trouver Jean-Marie Le Pen au second tour compte tenu du nombre important de candidats et de la dispersion des voix.

Cela ne mérite-t-il pas la vraie Une ? Cela ne mérite-t-il pas la mobilisation générale ? N'aurait-il pas mieux valu que *Le Monde* utilise sa crédibilité pour empêcher Le Pen d'accéder au second tour de l'élection ? Pour mobiliser les électeurs ? L'enjeu n'en valait-il pas la peine ? Quelle est donc la motivation tellement essentielle du *Monde* contre « Messier » pour avoir commis ce que je tiens pour une trahison de ses idéaux, ses lecteurs, à quelques jours de la présidentielle ?

Une partie de la réponse se trouve dans la rancune suscitée par l'épisode de *L'Express*... Mais il y a autre chose.

Comment oublier ce petit-déjeuner d'octobre 2001, chez Maurice Lévy, le président de Publicis. Maurice est un ami fidèle, grand patron et communicateur. Il est très proche, et depuis longtemps, du *Monde*, de Jean-Marie Colombani et d'Alain Minc. Nous sommes réunis pour un petit-déjeuner de réconciliation autour de Maurice. Nous y parlons de diversité culturelle. Ainsi que de la nécessité de retrouver dans les colonnes du *Monde* un traitement « factuel et proportionné » sur Vivendi. Pas de traitement de faveur. Juste des faits. Et juste à la place qu'ils méritent. La demande n'a rien d'exorbitant... Et bien je vais être servi! Soudain, Jean-Marie Colombani prononce sur un ton menaçant cette phrase, à laquelle je n'ai peut-être pas suffisamment prêté attention sur le moment : « Et bien sûr, ne touchez jamais à un cheveu de Pierre Lescure (administrateur du *Monde*). C'est une icône. Ce serait une déclaration de guerre. »

Le Monde tiendra là encore parole. Le limogeage de Pierre Lescure déclenchera de la part du quotidien une guerre sans merci. Tout est bon pour m'abattre, par tous les moyens. Cela m'amènera à qualifier *Le Monde*, le jour de mon audition au CSA, en avril 2002 de « Lescure-Soir ». Le chef du service économique, Laurent Mauduit, m'appellera cependant un soir, longuement, pour plaider la bonne foi, le sérieux de son éthique personnelle, de journaliste, sa volonté de rechercher la vérité :

« Donnez-moi votre portable et je vous promets de vous appeler avant tout article vous mettant en cause, pour vérifier les faits, pour intégrer vos remarques. C'est mon engagement. C'est ma crédibilité de journaliste. »

Je me suis laissé prendre, j'ai cru à la bonne foi. Je lui ai donné mon portable. J'ai appelé de mon côté, une fois. J'attends encore le premier coup de fil de la part de M. Mauduit.

Après l'affaire Lescure, *Le Monde* titre sur les « Mystères de Vivendi » et sur le fait que le groupe aurait « frôlé » la cessation de paiement fin 2001. Là, je décide que trop c'est trop.

À la lecture de ces accusations, après avoir rencontré longuement les syndicats de Vivendi, le personnel du siège, après avoir écrit à tous les collaborateurs du groupe, je dépose plainte contre *Le Monde* en demandant 1 million d'euros de dommages et intérêts. A-t-on le droit de raconter n'importe quoi sur une entreprise, au mépris de sa valeur, de sa réputation, de ses salariés avec autant d'inconséquence ? N'y a-t-il aucune limite au droit à l'erreur de la presse ? J'aurais mieux compris que *Le Monde* titre « Messier doit partir » ou « Messier est un imbécile ». Cela aurait eu le courage de la franchise, de la netteté... et cela n'aurait pas nui à l'entreprise ni à ses salariés. Il est aisé d'imaginer les répercussions dramatiques qu'une telle affirmation, lancée par un journal supposé sérieux et soucieux d'éthique, engendre auprès des banques, de certains investisseurs assez mal informés sur nous, des salariés et du public. En jetant ainsi le discrédit et en répandant la peur chez de nombreux intervenants financiers, cet article a entravé fortement notre capacité à lancer un emprunt obligataire à un moment où celui-ci était pourtant bien utile.

Alors, abus de pouvoir ou pas ? Impunité ou pas ?

Nous ne saurons pas ce que la justice en aurait décidé. Car, moins de deux semaines après mon départ, le groupe a appelé son avocat pour retirer la plainte. Le mal a été fait. L'abus de pouvoir consommé. La peur devant la « puissance » du *Monde* et de ses méthodes l'a emporté. Sagesse, diront les uns, scandale du dévoiement de l'éthique de la presse, penseront les autres.

Salir, « achever », « lyncher ». Après mon départ, tel semble l'objectif du *Monde* qui titre le 3 juillet sur les comptes opaques, instillant l'idée de manipulation des comptes pour les « enjoliver », suggérant la nécessité de poursuites judiciaires avec le juge riant dans le dessin de Plantu.

Le Monde fêtera la rentrée de septembre avec cinq articles, pleine page, consacrées à l'affaire Vivendi. Plus la couverture de leur supplément mensuel. L'acharnement continue. Mais beaucoup commencent cependant à penser que « trop c'est trop ». Pourquoi cette parution massive, et à ce moment-là ? Coïncidence ?... La vente du *Groupe Express* au *Figaro* fut annoncée peu avant. Concrétisées par Jean-René Fourtou, les négociations avaient été ouvertes avec mon accord, plusieurs mois auparavant, afin d'aider à la constitution d'un groupe de presse puissant face au *Monde*. J'y avais mis, pour condition, que le projet soit porté par Denis Jeambar et que celui-ci soit satisfait par les garanties d'indépendance données à la rédaction. *Le Monde* aurait-il décidé de frapper une fois de plus ?

Si seulement les faits rapportés dans ces articles étaient exacts ! Le premier article de la série s'ouvre sur les conditions dans lesquelles ma petite phrase sur « l'exception culturelle française est morte » avait été prononcée. Tout y est faux. Pierre Lescure est supposé la découvrir le lendemain à la une du quotidien *Libération*. Mais alors que faisait-il lorsque j'ai prononcé cette phrase, assis, dans la salle, au premier rang des participants ? Il dormait ? Pas un mot, non plus, lorsque nous avons pris l'avion ensemble... pendant cinq heures.

Catherine Gros, en charge de la communication de VU est supposée avoir jugé inutile de participer à cette ultime représentation « d'une » semaine de marathon médiatique. Quel marathon ? Il n'y en a point eu puisque aucune autre réunion publique ne s'est tenue cette semaine.

Catherine était d'ailleurs présente dans la salle. Elle ne m'a jamais demandé : « Vous l'avez vraiment dit ? », pas plus que « Je ne réponds plus de rien ». Et, surtout, pas un mot sur le fait que cette phrase fut sortie de son contexte qui portait sur la diversité culturelle et sur la fierté de financer à la fois le cinéma français mais aussi italien, polonais... Tout est à l'avenant. Comme cette conversation du 17 avril que j'aurais eue avec Claude Bébéar. Les guillemets laissent entendre que ce sont mes mots. Ils sont faux. Et personne, au *Monde*, n'a cherché à les vérifier avant publication. Sans commentaire.

Cinq articles la semaine de rentrée, ce n'est pas encore assez. La semaine suivante, nouvelle pleine page sur « les pressions de Messier sur les auditeurs ». Une très bonne illustration des méthodes de mauvaise foi sciemment utilisées par les équipes du journal.

Apparemment rien de « croustillant » ou de « scandaleux » ne sort des enquêtes menées par la nouvelle équipe de VU. Bien décevant. Alors on invente un petit scandale. Avec du réchauffé : l'histoire des discussions de la COB sur le traitement comptable de la participation détenue dans BskyB a déjà été racontée dans *Le Monde* plusieurs mois auparavant. Un sujet dont la complexité technique ferait reculer n'importe quelle bonne volonté. Mais je vais m'y arrêter un instant. La façon de traiter ce dossier (nous avons cédé en 2001 les actions BSkyB, en gardant pour nous le risque de cours, à une banque qui les cédera à son tour sur le marché en 2002) impactera par un jeu de vases communicants les résultats 2001 et 2002.

Si l'on suit l'avis de nos auditeurs et du Comité des comptes du Conseil, cela entraînera une contribution positive aux résultats 2001, réduira la dette (aux normes françaises) cette même année, et ne changera rien en 2002. Si l'on suit, au contraire, l'avis de la COB, cela n'aura aucun impact en 2001, mais un impact positif sur le résultat et la dette en 2002. Dans les mêmes proportions exactement. On le voit : rien, ici, de « bouleversant ».

De toute manière, les résultats 2001 laissent apparaître une perte massive liée à l'amortissement des survaleurs de nos acquisitions face à laquelle l'impact de l'opération BskyB est marginal. Dans tous les cas, la dette selon les normes françaises reste très inférieure à celle exprimée en normes américaines.

Ce débat technique devient cependant très passionnel. Nous sommes fin février. L'arrêté des comptes arrive, mais la COB, sollicitée depuis novembre, n'a toujours pas pris position. Chez l'un de nos auditeurs, deux associés adoptent, chacun de leur côté, deux positions tout à fait opposées sans que nous en soyons informés. Or, lorsque vous mandatez un auditeur, c'est bien pour que ce dernier vous donne une position étayée, quelle qu'elle soit. Qu'elle n'exprime pas tout et son contraire. Surtout sans prévenir. Alors je proteste, et en tant que client, je suis naturellement fondé à le faire.

J'écris à la COB sur le thème : décidez, dans un sens ou dans un autre, mais décidez. Et faites-le dans le cadre d'un processus rigoureux. Au-delà de cette lettre, j'irai voir le président de la COB et son directeur général pour m'en expliquer.

La position de la COB arrive, tardive. Ce n'est pas la nôtre, mais elle est la plus conservatrice. Je propose donc à mon conseil de suivre l'avis de la COB, ce qui sera fait.

Je soumets le même problème aux États-Unis, à la SEC (l'équivalent américain de la COB). Mais cette dernière tranchera dans le sens préconisé par nos auditeurs auxquels, par sécurité, nous avons entre-temps adjoint un troisième expert extérieur, le cabinet KPMG.

Au total, il n'y a pas de quoi fouetter un chat... Sauf pour *Le Monde*. Avec le (superbe) raisonnement suivant : M. Messier écrit que peu lui importe la décision, mais tout le monde comprend qu'il n'en est rien et qu'en fait il fait pression pour obtenir le départ du responsable de la « doctrine » de l'auditeur Salustro...

Lorsque les faits et les écrits sont contre vous, alors autant dire tout de suite que lorsqu'on écrit *blanc*, il faut lire *noir*. Comme le dit le proverbe, quand vous voulez tuer votre chien, dites qu'il a la rage.

Comment répondre sereinement à la question « Tout ça pour quoi » ? Que cherche *Le Monde*, que défend-il ? On devrait plutôt dire « tout ça pour ça » en constatant que Vivendi Universal n'a commis aucune fraude, n'est en rien un Enron bis ! Démesure flagrante. « Tout ça pour ça. » S'est-il donc agi d'assouvir une vengeance personnelle ou de servir uniquement des réseaux « politico-affairistes » proches et autres « amis » comme ces différents éléments pourraient me porter à le croire ? « Tout ça pour ça », enfin, si cela aboutit à démanteler ce qui était peut-être pour la France la seule chance de jouer un rôle significatif sur la scène internationale dans les métiers des médias !

Faudra-t-il attendre encore seize ans – « Putain, encore seize ans » pourraient dire les Guignols – pour que « l'augure » de Jean-Marie Colombani suivant l'affaire de *L'Express* soit pleinement achevé ?

En critiquant *Le Monde* je sais que je commets un crime de « lèse-majesté ». Aux dérapages grossiers, on opposera l'indépendance de la presse. Mais si l'indépendance ne s'accompagne pas de responsabilité? Si la responsabilité ne s'accompagne pas de la possibilité de mettre cette dernière en jeu, et de la sanctionner?

Tout ça pour ça!...

Chapitre VI
Archaïsmes français

« Certains ont l'air honnête, mais quand
ils te serrent la main, tu as intérêt à
recompter tes doigts. »

Coluche.

Quand donc notre pays perdra-t-il cette habitude de
mélanger politique et affaires, ce qui nous rend tellement
« exotiques » aux yeux de beaucoup ? Et ne passe pas ina-
perçu comme en témoignent nombre de e-mails reçus cet
été après le « coup d'entreprise » sur VU [1]. Comme
citoyen, j'aime la politique. Plus exactement, je crois au
rôle de la politique, à sa nécessité. Mais pour nous faire
vibrer à un projet collectif, pour nous proposer un projet
de société, un « monde meilleur ».

Le rôle du politique doit consister à traiter des sujets
régaliens, qui touchent aux conditions essentielles de

---

1. Trois exemples en annexe.

notre vie en société : l'éducation et une réelle égalité des chances ; la sécurité et une meilleure harmonie de notre urbanisation ; la justice ; la régulation de notre économie, non pour interférer dans la vie des entreprises mais pour s'assurer de règles de compétition impartiales ; la compétitivité fiscale et sociale de notre pays, notamment au sein de l'Europe ; l'ambition sociale et la lutte contre la pauvreté.

Les politiques doivent aussi représenter nos intérêts nationaux dans le monde, et être forts pour ne pas se laisser bafouer et contribuer à établir une vraie gouvernance mondiale. À l'image de l'engagement du président Chirac à l'automne 2002 pour veiller à ce que, face au terrorisme, l'action menée soit sans faiblesse mais sans abus. Et pour le reste, laissez l'initiative aux entreprises, aux associations, aux organisations non gouvernementales... Cessez de donner à la France cette image étroite, jalouse, revancharde, malthusienne.

Nous avons besoin du politique, et peut-être même d'encore plus de politique, mais en la mettant à la place qui doit être la sienne. Notre pays souffre de ce point de vue de ses vieux et mauvais réflexes dont il a décidément bien du mal à se débarrasser. Lesquels ?

Le premier : l'étiquette. En France, on adore vous coller une étiquette. Et lorsque vous l'avez, c'est pour la vie. Ayant travaillé deux ans à mettre en œuvre les programmes de privatisation auprès d'Edouard Balladur, je suis donc catalogué « balladurien », c'est-à-dire de droite libérale et suspect aux yeux de la Chiraquie. Et flûte ! J'ai vécu aux côtés de Balladur, un véritable homme d'État, deux merveilleuses années professionnelles, utiles à la France. Pour cela, je lui suis reconnaissant et fidèle.

Mais que diable, je n'ai jamais eu d'autre activité politique depuis ! Je ne suis jamais intervenu dans quelque campagne politique que ce soit, ni aidé au moindre financement. Jacques Chirac était alors Premier ministre et Alain Juppé ministre en même temps qu'Edouard Balladur. À dix-huit ans, comme beaucoup de jeunes Français, je collais des affiches pour Giscard qui représentait une chance, un élan, une jeunesse... Mais je considère que le meilleur ministre des Finances de la dernière décennie fut Dominique Strauss-Kahn. Je pourrais continuer ainsi à l'infini. Mes enthousiasmes vont d'abord à des idées, aux hommes et aux femmes qui les incarnent le mieux. Peu importe leur parti. Je tiens à cette indépendance.

Il paraît que ce n'est pas sage. Qu'il vaudrait mieux faire « allégeance ». Et moi qui pensais que nous avions tourné la page du système féodal !

Deuxième réflexe, déplorable : le désir des politiques de tout contrôler, tout décider, ou en tout cas le paraître. D'où ce jeu incessant fait de rumeurs, de manœuvres. Lorsque j'ai pris ma décision de quitter Vivendi Universal, au cours du week-end des 29 et 30 juin, j'en ai parlé à certains administrateurs. D'autres se tenaient déjà prêts. Mais était-il pour autant inévitable que, dès le dimanche en fin d'après-midi, les rédactions de trois grands journaux français appellent au siège de Vivendi Universal pour dire qu'elles avaient reçu un coup de fil direct des équipes de l'Élysée les « informant » de cette décision ? Et moi qui pensais que l'on avait tourné la page du centralisme démocratique !

Troisième réflexe, coupable, celui d'un certain « affairisme », d'une imbrication bien surprenante entre affaires de l'État et affaires des entreprises. Je reste littéralement estomaqué de la multiplicité et du caractère très « définitif » des interventions politiques concernant Vivendi

Environnement. Quel élu ne s'est-il pas encore exprimé sur la nécessité de « gardarem lou Vivendi Environnement français » parodiant les écologistes du plateau du Larzac ? Que cent pays dans le monde voient leurs gouvernements, leurs régions, leurs communes faire confiance à une entreprise française pour leur eau, paraît normal. Mais que l'on puisse soulever la question des partenaires internationaux pour nos entreprises, c'est le scandale immédiat. Et pour être bien sûr d'être entendu, on crie haut et fort avant même d'écouter si des projets existent, voire d'en connaître la substance.

Que certains personnages lancés « à la manœuvre » sur Vivendi Universal aient éprouvé, notamment autour de ce sujet, le désir ou le besoin de multiplier les contacts « informels » avec l'entourage de nos principaux hommes politiques est tout simplement effrayant, archaïque et bien entendu dangereux.

Quatrième réflexe, enfin, ô combien dommageable : la confusion des patrimoines, patrimoine culturel bien sûr, oserais-je dire. La caricature fut celle de l'éviction de Pierre Lescure de la tête de Canal+. Décision jugée, hors de nos frontières, comme simplement managériale, normale au vu des résultats catastrophiques de Canal et, au demeurant, tardive. Décision immédiatement jugée politique en France, d'éminentes personnalités politiques condamnant avec force – publiquement ou en privé – cette décision. L'un d'entre eux me menacera : « Vous avez commis une faute impardonnable pour laquelle nous [son courant politique " n.d.a. "] vous ferons la peau. » Charmant. Lescure était-il censé être un patron ou un « intouchable » chargé d'une mission politique, fût-ce au prix de la faillite de la société dont il avait la charge ?

En six ans, que ce soit auprès de Canal+ ou de *l'Express*, j'ai veillé scrupuleusement au respect total, absolu de l'indépendance éditoriale. Tant Pierre Lescure que Denis Jeambar l'ont vécu et en ont témoigné. Dans un éditorial intitulé « Vérité », Denis Jeambar l'exprimera de la façon suivante : « Détenus depuis 5 ans à 100 % par Vivendi Universal, nous étions à la merci des caprices de notre actionnaire. Or ce quinquennat fut celui d'une indépendance totale, qui est la clé de la réussite actuelle du groupe *Express-Expansion*. Jamais la moindre demande. Jamais le moindre reproche. Aucune pression. Notre liberté éditoriale a été respectée avec une honnêteté scrupuleuse. J2M et ses proches avaient un contrat moral avec *L'Express* qu'en aucune occasion ils n'ont trahi... Il fallait que cela se sache. »

N'ai-je pas péché par naïveté dans un pays où culture et médias sont encore largement considérés, en tout cas par beaucoup d'hommes politiques, comme un enjeu de conquête, de pouvoir, d'influence et de promotion ? Un pays dans lequel les débats culturels sont bien souvent vécus non pas sous l'angle de la création mais sous celui des corporatismes les plus étroits et de leur influence réelle ou supposée ?

La fausse querelle sur l'exception culturelle française en fut une illustration caricaturale. Ministres et politiques sont immédiatement « montés au créneau », sans chercher à savoir, comprendre ou se rappeler que Vivendi Universal a toujours été du côté de la défense des créations françaises, à travers les aides au cinéma français, les quotas musicaux ou le prix unique du livre ! Il s'agissait d'être le ou la premier(e) à récupérer les associations culturelles les plus corporatistes qui fleurissent à l'envi en France.

Ai-je manqué de prudence dans la façon d'aborder certains sujets ? Sans aucun doute. Ai-je manqué de « capteurs » dans le monde politique qui auraient pu m'avertir de déboires à venir ? C'est évident. Mais ai-je eu tort ? Notre pays bénéficie-t-il, ou au contraire ne souffre-t-il pas plutôt, d'archaïsme, de sclérose liée à cette confusion des genres ?

Il ne m'appartient pas de répondre. Mais lorsque quelqu'un supposé proche de Claude Bébéar, me dit un jour : « Jean-Marie, tu t'es mis à dos la droite en touchant à Vivendi Environnement et à Henri Proglio ; tu t'es mis à dos la gauche en touchant à l'exception culturelle et à Pierre Lescure, il fallait bien intervenir ! », je m'interroge : dans quel pays vivons-nous ?

Ai-je droit de savoir où sont les intérêts de mes actionnaires ? Puis-je me préoccuper du développement de mon groupe ? De ses succès à l'international ? De nos clients ? De nos salariés ? Est-ce vraiment cela la vision française d'un pays moderne, entrepreneur ?

Alors oui, je suis définitivement du côté de ceux qui ont envie d'une France qui bouge, envie d'un pouvoir politique qui se limite à son objet principal, de la fin d'un système mêlant encore beaucoup trop politique et affaires, parfois de façon bien douteuse, bien archaïque et féodale.

Chapitre VII
OPA discount

« Quoi point d'argent ? Et de l'ambition ! Pauvre imprudent ! Apprends qu'en ce royaume, tous les honneurs sont fondés sur le bien, que rien n'est rien, que de rien ne vaut rien. »

Voltaire, *Satires*

En ces temps où le gouvernement d'entreprise est un leitmotiv constant de la gestion interne des entreprises, de la responsabilité des conseils, des relations avec les actionnaires et les différents partenaires de l'entreprise, l'histoire récente de Vivendi Universal est emblématique des hoquets actuels des marchés et des déficiences du capitalisme français.

Celui-ci est censé reposer sur la transparence des intentions et la nécessité de réunir les moyens *ad hoc* quand on veut prendre le contrôle d'une société. Il n'en sera rien ici.

Je ne sais pas, et je ne crois pas que, malgré les soubresauts actuels, il faille suivre le « patron des patrons » français, Ernest-Antoine Seillière, lorsqu'il suggère qu'il n'y a de vrai capitalisme que le capitalisme familial ! Mais il faut bien reconnaître que cet épisode Vivendi Universal ne restera certainement pas dans les mémoires comme un exemple de la maturité du capitalisme français.

Ce à quoi nous venons d'assister, c'est en réalité à une prise de contrôle, une OPA réalisée sans *cash* et sans offre aux actionnaires du groupe, bref une OPA *discount*. On écrase tellement les prix qu'il n'y en a plus. Menée par qui ? Par la famille Bronfman, actionnaire à 5,5 % (contre 8 % fin 2000), soucieuse de défendre ses intérêts, et dont la valeur patrimoniale s'est délitée avec le cours de bourse ? Oui, même s'il faut reconnaître que, dans ces périodes bien inhabituelles de marché financier, la pression sur la valeur du patrimoine familial était, et reste forte. Leur sur-représentation au Conseil (5 administrateurs sur 15), liée à leur contrôle du groupe Seagram qu'ils ont vendu à Vivendi en 2000, leur a permis de peser d'un poids démesuré par rapport à leur poids actionnarial.

Un poids par ailleurs renforcé à travers l'alliance qu'ils ont nouée avec Axa, ou plus exactement son créateur Claude Bébéar et son réseau. Épaulé de deux amis, Jean-René Fourtou et Henri Lachmann, il truste désormais la présidence du groupe et donc du conseil, celle du comité financier et du comité stratégique. Un comité créé pour l'occasion, destiné en fait à donner crédibilité et forme à des décisions portant sur l'avenir du groupe et de ses métiers.

Le trio Bébéar, Fourtou, Lachmann est un cas unique que l'on retrouve dans les principaux conseils d'Axa – parangons du capitalisme et du gouvernement d'entreprise, mais dirigeant tout de même à partir d'une forteresse dont les statuts à large base mutualiste ne sont pas exactement un modèle de société ouverte à ses actionnaires! –, de Schneider, d'Aventis et maintenant de Vivendi Universal.

Comme tous les mousquetaires, ils sont quatre avec Thierry Breton. Thierry, alors président de Thomson Multimédia et aujourd'hui de France Telecom, est l'un de ces entrepreneurs authentiquement internationaux de ma génération, avec lequel je m'entends bien et partage nombre de valeurs. Il refusera ma succession et déclinera l'offre de rejoindre le conseil.

Henri Lachmann, pour sa part, sans doute après avoir hésité et à la suite des conseils insistants de Claude, dira simplement : « Claude m'a dit, m'a demandé... » Il y mit le zèle de celui qui veut prouver qu'il est digne de la mission confiée par le chef.

Jean-René Fourtou est maintenant le président de Vivendi Universal. Je le connais, je l'apprécie. Mon épouse, Antoinette, chercheur en physique, a travaillé six ans pour lui chez Rhône-Poulenc. Il assume la tâche difficile de traverser la crise immédiate, de redonner aux actions – malgré l'irrationalité des marchés – une valeur plus conforme à la réalité du groupe et surtout d'y parvenir en essayant de préserver la ou les meilleures cohérences stratégiques. Il n'a d'ailleurs pas été au cœur de l'action. Il est plutôt « celui qui s'y colle ».

Qui se colle à quoi? Tous ces hommes sont en mission, mais pour qui? Pour les actionnaires, tous les actionnaires? Dans ce cas, il faudra revenir à la séparation du groupe entre environnement d'un côté, médias et télécoms de l'autre, réclamée par l'essentiel des analystes et investisseurs. Ce serait un élément de lisibilité : un leader de l'environnement, un leader des médias, c'est clair.

Un élément de valorisation aussi : en relâchant la pression sur la dette de Vivendi Universal, son capital, c'est-à-dire la valeur des actions, s'en trouverait automatiquement revalorisé, et même plus que proportionnellement.

Si l'objectif est de démanteler le groupe, dans une direction donnée, n'aurait-il pas été légitime que ceux qui en sont les promoteurs organisent une offre globale, une OPA en bonne et due forme, sur l'ensemble du capital ? Un changement stratégique aussi profond peut-il s'opérer sans être validé par les actionnaires ?

J'aurais personnellement souhaité et j'étais prêt – mes administrateurs le savent – à aller devant nos actionnaires à la prochaine Assemblée générale, ou à en convoquer une à cet effet, projet contre projet. Celui auquel je crois : terminer la transformation de ce groupe en deux champions totalement séparés par la vente de Vivendi Environnement et ramener en même temps la dette du groupe de média en dessous de 10 milliards d'euros, soit moins de deux fois son résultat d'exploitation proportionnel.

Ce projet, j'étais prêt à le présenter à tous nos actionnaires, car je crois qu'il est optimal pour leurs intérêts, le meilleur en terme de valeur, le plus cohérent sur le plan industriel, le plus ambitieux pour notre pays. Et s'il avait été battu par un autre projet ou rejeté par les actionnaires, j'étais prêt à me retirer. Les marchés sont très difficiles. Toute stratégie offensive, menée rapidement, peut être prise temporairement à revers par l'effondrement des marchés. Les actionnaires perdent par ailleurs confiance devant la complexité et les fraudes comptables de certaines entreprises américaines. Dans un tel contexte, un patron, même convaincu de la pertinence de sa vision, de celle de sa stratégie ainsi que de la qualité de ses résultats opérationnels, doit accepter – à moins d'être propriétaire – de voir ses actionnaires choisir un horizon de temps court, différent. Or pour développer une vision, chacun sait que l'entreprise a besoin de temps. Avoir raison trop tôt, ou ne pas se voir donner le temps nécessaire à la mise en œuvre d'une vision entrepreneuriale et devoir ainsi se retirer prématurément peut sembler injuste. Mais telle est la règle du jeu capitaliste et il faut l'accepter.

Au lieu de cela, j'ai été amené à faire un autre choix. Celui de partir. Mais, hélas, pas projet contre projet... J'ai laissé la place à une OPA sans *cash*... et sans projet dévoilé, en tout cas publiquement !

J'aurais aimé disposer du temps nécessaire pour montrer la pertinence de cette vision, de cette stratégie. Bien évidemment, une stratégie n'est bonne, n'a de sens que si l'on en a les moyens financiers et humains. On peut dire : « Mais à quoi rime une stratégie si la caisse se vide, si les résultats ne sont pas là ? » En l'occurrence, comme on le verra, le problème de trésorerie monté en épingle était petit ramené à la taille du groupe. C'était uniquement un problème de court terme et disposant de plusieurs issues pour le traiter et le résoudre. Les résultats opérationnels n'ont jamais manqué leur rendez-vous. Je me souviens de cette phrase de Jimmy Goldsmith : « J'avoue m'être parfois trompé sur le timing, rarement sur l'issue. » Le temps... Je suis convaincu que les marchés, les consommateurs et la pénétration progressive des technologies mobiles et haut débit dans notre vie montreront la pertinence de cette approche globale du métier des médias, des contenus de loisirs et d'éducation.

En faisant de la sorte main basse sur Vivendi Universal, on m'a refusé cette possibilité d'aller, en toute clarté, devant les actionnaires. Un coup d'état de couloir a remplacé la vie normale de l'entreprise. Cette OPA sans *cash*, sans offre aux actionnaires, réussira.

Un petit retour sur les faits. Le 25 juin, le conseil me renouvelle sa confiance. Malgré l'évocation de mon départ, la veille, par Edgar Bronfman junior, sous la pression de sa famille, les dix administrateurs européens, face aux cinq américains, me confortent. Dans une interruption de séance, Serge Tchuruk – il a, depuis, quitté le conseil – essaie de ramener Edgar Bronfman à la raison. Tchuruk, en vrai industriel, est convaincu de la validité de notre stratégie média. L'intérêt du groupe est d'attendre le mois de septembre, où doit être évoquée à nouveau la présentation stratégique. Il est de ne pas diviser le conseil entre Américains et Français.

Rien n'y fera. Edgar demandera le vote, au terme d'une déclaration à la fois incendiaire et partisane omettant curieusement ses propres responsabilités de gestion, ainsi qu'au sein du conseil. Le conseil tient bon néanmoins et vote sa confiance. Même si les explications de texte des uns et des autres n'ont généralement brillé ni par leur lucidité ni par leur loyauté. Mais le résultat, et la majorité, sont là. Comme lors du conseil du 29 mai, où la proposition de créer un Comité de gouvernement d'entreprise est détournée de son objet premier et présentée comme une « mise sous tutelle », ma suggestion d'établir des rendez-vous réguliers avec les analystes, deux fois par mois, sans ordre du jour mais avec l'objectif de restaurer la confiance, est présentée à l'extérieur comme un « ultimatum » du conseil. Dieu sait pourtant qu'aucun administrateur n'en avait eu l'idée et que l'expérience des semaines qui suivront montrera l'utilité qu'il y aurait eu à la conserver !

C'est bien. Mais telle n'est pas mon ambition. On ne construit pas sur des divisions. J'ai adopté une vision globale, m'efforçant de rapprocher la philosophie et la pratique de la gouvernance d'entreprise, entre deux traditions et réalités très différentes. Il y faudrait du temps. Les difficultés de marché m'en privent.

Qui plus est, la cession partielle de Vivendi Environnement, trop partielle et trop longtemps retardée, est mal accueillie par le marché. En toute logique, la structure de cette opération ne soulevait pourtant pas de difficultés. Elle combinait le placement de nos titres auprès d'investisseurs, concomitamment avec une augmentation de capital de Vivendi Environnement. Celle-ci, destinée à alléger son bilan et financer son développement, était d'ailleurs largement pré-souscrite par des institutionnels français. Mais le préfinancement de cette opération quelques jours plus tôt (en prêtant des titres à une banque et recevant un prêt à taux réduit à due concurrence) a été mal reçu. Au lieu d'y voir un prêt à taux réduit et une optimisation fiscale, le marché n'y a vu que précipitation et risques de trésorerie à court terme. Le 24 juin, notre cours baisse de 23 %!

Saurons-nous jamais la vérité sur le marché de ce jour-là? Le matin, au moment même où nous lançons Vivendi Environnement, surgissent quelques rumeurs londoniennes, conjointes, et de nature à impressionner négativement. Pêle-mêle : Murdoch n'achèterait plus notre activité italienne de télévision à péage Telepiu; une rumeur sur de mauvais résultats opérationnels; une autre sur des risques hors bilan cachés; la révélation de la limite basse donnée par le conseil pour le prix de cession des titres de Vivendi Environnement que des *hedge funds*, ces fonds très spéculatifs, s'empressent d'attraper et de casser. Tout cela accompagné de l'intervention parallèle de plusieurs de ces *hedge funds* qui jouent massivement à la baisse sur le titre Vivendi Universal. Beaucoup trop pour être honnête. En cheville avec qui? Agissant pour servir quels intérêts? Autant de questions auxquelles les réponses appropriées de la COB ou de la SEC américaine seraient les bienvenues.

Voilà comment fonctionne l'engrenage classique de la défiance, à partir duquel des banques cherchent à ne plus honorer leurs engagements (lignes de crédit non fixées) ou à ne pas les renouveler. Les agences de notation, devenues dans ces conditions plus que prudentes, dégraderont encore notre « note » au lendemain de mon départ au cas où surgirait plus tard une difficulté, la provoquant immédiatement de ce seul fait.

Je ne critique pas. C'est leur rôle. Mais dans des marchés déboussolés, dépourvus de repères, ce comportement aggrave la difficulté et accentue en retour les baisses du marché, mettant parfois les entreprises dans des situations que la valeur des actifs au regard de la dette ne justifie absolument pas. Comment ne pas voir que l'attitude récente des agences de notation est la conséquence de leurs échecs et de leurs aveuglements précédents? Comme l'ont montré les dossiers autrement plus sérieux et problématiques d'Enron, Worldcom, Global Crossing... Pour rattraper leurs échecs, elles se couvrent. Et tant pis si c'est à l'excès.

Les agences de notation peuvent « tuer », tuer des entreprises en les précipitant par anticipation dans des difficultés soudainement insurmontables car, à la suite des agences, les banques ferment leurs portes.

Dans de telles périodes, l'information est un acte difficile et devient l'objet de discussions souvent complexes avec les autorités de marché. Mes équipes ont parfois eu des relations tendues avec la COB. Mais les interventions de celle-ci sont un bon aiguillon. Et toutes nos équipes, nos auditeurs, nos conseils, ont apporté un soin jaloux à s'assurer de l'exactitude factuelle de chacune des informations publiées. Nous discutions même, entre nous, de la nécessité de certains arrondis! Quoi qu'il en soit, en cette période troublée, je m'en suis remis dans ce domaine aux suggestions de nos équipes et à l'examen préalable de notre situation financière par le conseil du 25 juin.

Les bruits les plus fous ont couru à l'époque, y compris à titre personnel et aux fins de me déstabiliser. Je cite parmi ceux qui m'ont été rapportés :

– la société m'aurait prêté de l'argent (je suppose sans intérêt?) pour acheter mes actions;

– la société m'aurait octroyé des garanties sur des prêts;

– j'aurais été en cheville avec des *hedge funds* pour les aider à spéculer à la baisse sur le titre Vivendi Universal et en tirer profit personnel. Comment quelqu'un a-t-il pu imaginer et lancer une telle rumeur? Comment quelqu'un a-t-il pu sérieusement le croire?

– j'aurais touché en faisant travailler Lazard (dont j'ai été l'associé pendant six ans) des « rétro-commissions » sur leurs mandats;

– j'aurais eu des comptes dissimulés à l'étranger.

Tout cela est honteux et totalement faux. Toutes comme chacune de ces accusations. Face à ce torrent de boue, j'éprouve du dégoût. Comment ne pas imaginer que ceux qui ont lancé de telles rumeurs ne sont pas experts en ce type de turpitudes? Le temps et les analyses ou enquêtes conduites témoigneront de l'absence totale de telles malversations, ce qui pourra aider à « ramener à sa juste proportion l'affaire Vivendi Universal » : tant mieux. Mais penser que de telles accusations, totalement fabriquées, ont pu servir à certains de « prétexte à agir » laisse sans voix et très amer.

J'espère d'ailleurs que, à l'image de VU elle-même fin septembre, on aura le courage de constater explicitement et sans ambiguïté qu'aucune de ces « turpitudes » n'avait de réalité. Dans l'intérêt de la « place de Paris ». Dans l'intérêt de la vérité. Et même si cela doit mettre en évidence le recours de certains aux fausses rumeurs pour monter leur coup.

Au cours de cette semaine décisive, les contacts entre mes administrateurs se sont multipliés – les Américains harcelant les Français, Minzberg, toujours lui, rendant visite à Claude Bébéar, multipliant les contacts extérieurs. Les Français, plus ou moins sensibles aux pressions, deviennent inquiets devant la tournure qu'ont prise les événements.

Le jeudi 27, j'appelle et laisse plusieurs messages à Henri Lachmann, le plus proche de Claude Bébéar, pour l'informer de ce que je sais, de ce que j'ai appris. Mon appel ne sera retourné que le lendemain, vendredi en fin de matinée. Je suis en train de visionner rapidement les courts-métrages sur les conséquences du 11 septembre 2001 – nous les avons demandés à onze réalisateurs, autour de Jacques Perrin, de pays, de langues, de cultures et de religions différents.

Avec courage donc, Henri Lachmann propose de venir me voir le soir, accompagné de son ami Jacques Friedmann. Pour une besogne dont on n'est pas fier, autant être deux, n'est-ce pas ? Ayant raccroché avec Henri, j'appelle Jacques que je verrai seul à midi. Au moins, il me reste de l'estime personnelle pour lui. Je me souviens qu'entre 1986 et 1988, sa « spécialité » était de démissionner, au nom du ministre d'État, les présidents des entreprises à privatiser !...

Nouvel entretien le soir, donc, avec les deux compères qui me poussent à « considérer la décision de partir » sans attendre le conseil de septembre. J'ose une question bête :

« Qu'est-ce qui a changé en trois jours depuis le conseil de mardi où vous m'avez soutenu ?...

– Rien, mais... »

Pas un mot sur les pressions de Bébéar, sur ses rendez-vous avec Minzberg, les coups de fil répétés des administrateurs américains essayant de jouer avec la peur sur leurs responsabilités. Pourtant, comme administrateurs, ils ont soutenu, explicitement, tous les changements du groupe. Ils les ont approuvés, après examen. Comme administrateurs, ils ont également approuvé tous les principaux communiqués financiers ou de résultats du groupe, modifiant souvent tel ou tel point. Henri Lachmann, en tant que membre du Comité des comptes, a eu un accès illimité, hors de ma présence, au management et aux auditeurs.

Soudain, voilà qu'ils renient tout ce qu'eux-mêmes ont approuvé, pour faire machine arrière, pour privilégier l'environnement et parce qu'ils prennent peur face à leurs responsabilités... Mais revenir en arrière est un peu court comme stratégie, surtout lorsque cela repose sur une méconnaissance des métiers et de leurs résultats. La peur est rarement une excuse convaincante pour la lâcheté.

Ils sont assis tous les deux en face de moi, dans mon bureau, sur le canapé de cuir rouge qui accueille les visiteurs. Je pense intérieurement : « Pas eux tout de même... » Et bien si! Je les observe. Je leur dis la lâcheté et l'indignité de leur démarche. Je leur exprime le dégoût que m'inspire le fait qu'en cédant à des méthodes d'intimidation plus que douteuses, subies depuis des mois, ils donnent une « prime aux voyous ».

Ils n'oseront même pas me dire que le candidat à ma succession est Jean-René Fourtou. Il faudra que je leur explique que je l'ai déjà deviné à travers la conversation qu'ont eue, deux mois auparavant, Jean-René Fourtou et Marc Viénot, pour qu'ils acceptent de l'évoquer.

Le plus grandiose sera tout de même Henri Lachmann. Qui affirmera que je serai « traité honorablement », et renchérira, sitôt sorti de la pièce : « De toute manière rien ne peut être fait. » Qui fuira toute responsabilité lorsque Antoinette, mon épouse, l'appellera le soir même pour « comprendre ». Et qui, un peu agité, assis en face de moi dans ce canapé profond, lâche lorsque j'évoque le conseil :

« Oui, avec Claude on a pensé qu'il pourrait venir avec quelques amis, peut-être Thierry (Breton) aussi en plus de Jean-René (Fourtou) et peut-être... »

Je le stoppe froidement :

« Henri, dis-moi, je dois considérer que Vivendi Universal est déjà sous contrôle d'Axa, que l'OPA est faite et la répartition des postes engagée? »

Henri rougit, bredouille et s'excuse. Sa phrase inopportune traduit bien la réalité. Il est soulagé. Lui, l'obligé, a obéi. Ça y est. Il y gagnera les galons de « président du Comité stratégique »... Et lorsqu'il esquissera en sortant du bureau quelques mots personnels : « Amicalement, Jean-Marie, je voulais te dire combien je pense... », je le couperai brutalement et tournerai les talons sans lui serrer la main. Qu'il aille raconter son fait d'armes, son courage, sa vision stratégique à d'autres.

Au moment où j'écris ces lignes, je ne peux m'empêcher de penser au comportement de certains administrateurs. Je l'évoquerai à l'aide d'une charade.

– Mon premier est quelqu'un à qui vous avez rendu service – même dans des situations difficiles d'OPA – et que vous considérez comme un ami personnel, avec lequel vous aimez skier, dîner, voyager, parler. Mais vous le découvrez soudain vassal d'un tiers, à Ouarzazate ou avenue Matignon. Il ne répugne plus au sale boulot de « l'éxécution », et se révèle au service d'intérêts *a priori* plus politiques ou franco-français qu'à ceux de l'entreprise et de ses actionnaires. Il est d'autant plus dur et injuste dans ses commentaires qu'il est mal à l'aise et sait avoir beaucoup trahi. Jugement excessif ? Pas sûr, l'avenir le dira. Merci à Didier Pineau-Valencienne, patron ayant construit avec Schneider Electric une vraie réussite française internationale, de m'avoir appris que la poésie, notamment celle de René Char que nous affectionnons tous les deux, est souvent un refuge contre de telles déceptions humaines.

– Mon second décide de quitter son poste d'administrateur la veille d'un conseil décisif, le jour d'un accident boursier majeur. Il a pourtant accepté – pourquoi diable ? – d'être renouvelé en Assemblée générale deux mois jour pour jour auparavant. Il m'a toujours assuré de son amitié – qui lui est bien rendue d'ailleurs – et de son soutien. Avec des remarques, voire des critiques, pertinentes. Pourquoi avoir accepté d'être renouvelé deux mois avant ? Pourquoi avoir accepté de porter lui-même le coup (« Le moment n'était certes pas bien choisi, m'écrit-il deux jours plus tard, mais ne l'aurait jamais été ») après avoir manqué tous les conseils, sans exception, depuis la dernière Assemblée générale ? Où était l'urgence impérative ?

– Mon troisième est aux abonnés absents dès qu'une difficulté se présente. Injoignable au téléphone, il a l'agenda « bien chargé »...

– Mon quatrième... Allez, c'est bon. Suffit.

Mon tout ressemble à ce texte de Beaumarchais dans sa *Lettre modérée sur la chute et la critique du Barbier de Séville* : « Au moindre échec, ô mes amis, souvenez-vous qu'il n'est plus d'amis »...

Du vendredi au dimanche, ma décision, mon choix de partir, va mûrir. Je discute longuement avec mon épouse, mes amis les plus proches, ma fille aînée présente en France. Des conversations avec mes administrateurs, je n'en dirai rien car toutes ne sont pas « glorieuses ». Seuls Serge Tchuruk et Marc Viénot parleront réellement de l'entreprise, de la stratégie industrielle gagnante qu'ils partagent. Je prends aussi l'avis de Daniel Bouton le samedi et de Michel Pébereau le dimanche en fin d'après-midi, présidents de la Société Générale et de BNP Paribas, mais d'abord amis, et dont le conseil m'est précieux. Très vite, ils témoigneront d'ailleurs l'un et l'autre qu'au-delà des difficultés de court terme, la situation de Vivendi Universal est saine, ses actifs de qualité.

Le dimanche soir, c'est fait. J'ai tourné la page après un déjeuner à la campagne avec Eric Licoys, un compagnon de quinze ans, en lui demandant de rester, quelque temps au moins, aux côtés de mon successeur, pour aider à la connaissance (et reconnaissance) du groupe, de ses métiers, de ses équipes et des décisions à venir. Évidemment pour le bien de Vivendi Universal. Il tiendra trois petits mois...

Ce dimanche 30 juin, je l'ai souhaité autant que possible ordinaire, habituel. Pour que ma décision soit inscrite dans le cours normal des choses, pour la dépasser plus vite. Dimanche à la campagne donc dans cette maison ouverte sur la forêt, ancienne bergerie que j'affectionne tant. Pas de jardin apprêté : la maison basse, une prairie et la forêt en direct « dans le jardin », sans route ni chemin à traverser – ce qui m'a valu aussi, hélas, la traque de certains paparazzi. C'est là que j'aime me réveiller, quand je le peux, serein et détendu face à cette magnifique forêt.

Pour aller chez Eric dont la maison est à moins de vingt kilomètres de la mienne, avec ma femme Antoinette, nous avons pris nos vélos. Heureusement, la région est moins vallonnée que la vallée de Chevreuse. Juste deux ou trois petites côtes rapides ! Un déjeuner de campagne, dehors, dans la propriété d'Eric qui a réhabilité quelques vieilles bâtisses d'un ancien hameau abandonné. Une entrecôte grillée, accompagnée d'un vin rouge léger, le soleil qui tape, la forêt toute proche, l'ombre des marronniers. Bref, bonheur, tranquillité amicale, sérénité... pour ne pas y penser tout en le décidant. Ce dimanche, c'était aussi la finale de la Coupe du Monde Allemagne-Brésil. Nous l'avons suivie, Eric et moi, d'un air distrait, jetant juste un ou deux coups d'œil au score en fin de match. Le Brésil en finale, c'était une manière de souligner la qualité de la victoire française, de l'équipe black-blanc-beur de 1998 ! Faible consolation cependant, après avoir vu quelques jours auparavant, la France disparaître, sans gloire, incapable de marquer le moindre but.

De la difficulté de rester au sommet ! Le parallèle avec Vivendi Universal nous parut frappant. Le risque existe de voir une autre ambition française disparaître.

Morosité, donc, malgré la chaleur amicale du déjeuner et du lieu.

L'OPA a réussi. OPA sans *cash*, donc, mais tout aussi violente, encore plus souterraine et sournoise. Une véritable OPA dans l'intérêt des actionnaires, voire une préférence pour un projet défendu en assemblée générale, m'auraient semblé plus conformes à une vraie vision de gouvernance.

Dommage !

Et Vivendi Universal l'aurait mérité.

Le mérite !

Deuxième partie

Vivendi Universal :
une vision, et après?

Chapitre VIII
Ambition ou « mégalomanie » ?

> « Je sais quelle gêne un homme qui n'a nulle ambition peut causer dans une société. »
>
> Henry de Montherlant,
> *Le Maître de Santiago.*

J'ai eu, pour Vivendi Universal, une grande ambition. Elle tient en une phrase : créer deux champions mondiaux à partir d'un champion français.

Depuis la Générale des Eaux jusqu'à Vivendi Universal, il s'agissait de construire les deux champions mondiaux, mais français, dans les industries qui me paraissaient les plus importantes au tournant du millénaire : les métiers de l'environnement, pour préserver notre planète et la qualité de vie de nos enfants, d'une part, et les métiers de l'industrie de la communication et de la culture, d'autre part. Qu'il s'agisse d'éducation ou de loisirs, métiers qui sont autant de symboles d'une planète où les produits circulent vite et où les besoins d'identité se manifestent de plus en plus fortement.

Nous partions de loin : de l'eau et du béton !

La situation de départ est, en effet, connue : c'est cette très vieille dame de la rue d'Anjou, née le 14 décembre 1853 dans les métiers de l'eau. Fière de son héritage, en 1994, la Générale des Eaux est encore très française et presque exclusivement tournée vers les services aux collectivités locales. Elle a de beaux atouts : aux métiers de l'eau, elle a su progressivement s'adjoindre ceux des déchets, des services à l'énergie et celui des transports. Bref, tous les métiers des services à l'environnement qui conditionnent notre qualité de vie.

Puis, à ces métiers, encore très hexagonaux, des services à l'environnement, la Compagnie Générale des Eaux a ajouté deux piliers supplémentaires : la construction et l'immobilier. En cette fin d'année 1994, au plus fort de la crise que traverse l'économie française, les risques encourus sont très importants. Les engagements financiers dépassent les fonds propres de la Compagnie. Cette dernière est en dépôt de bilan virtuel du fait d'un endettement extrêmement lourd, supérieur aux capitaux propres. Il va falloir, sans bruit, et si possible sans traumatisme, limiter les risques, et même les céder. J'exécuterai ce « sale boulot » entre 1994 et 1996 en mettant directement la main à la pâte.

Pour commencer, je décide de donner son indépendance au pôle construction. Pour cela il me faut m'appuyer sur un homme compétent et de confiance. C'est Antoine Zacharias, alors directeur général de la Société Générale d'Entreprise (SGE). Il offre toutes les garanties nécessaires pour développer l'entreprise sur des bases assainies. Il connaît par cœur ces métiers de bâtisseur de ponts, de tours, d'usines, de routes, de gestionnaire de concessions... Je favoriserai donc progressivement l'indépendance de l'entreprise au travers de sa mise en bourse en même temps que j'organiserai le retrait de Vivendi Universal.

Sous la direction de cet homme fidèle, loyal, visionnaire, naîtra la société Vinci, devenue premier groupe mondial dans les métiers de la construction, et nouveau champion français d'ambition internationale. Somme toute, à partir de la Générale des Eaux, nous avons en réalité permis l'émergence de trois champions mondiaux : Vinci dans les métiers de la construction, Vivendi Environnement dans les services à l'environnement et Vivendi Universal dans les métiers de la communication et de la culture.

L'ambition donnée à Vivendi Environnement est simple à exprimer. Héritier direct de la Compagnie Générale des Eaux du XIXe siècle, il s'agissait alors dans les années 90 d'accélérer l'internationalisation de ses activités. En huit ans, son chiffre d'affaires est devenu majoritairement international : les deux tiers sont facturés à l'étranger, pour moins de la moitié en 1994. Vivendi Environnement est aujourd'hui présent dans plus de cent pays, sur tous les continents et dans les plus grandes villes du monde.

Parallèlement, il fallait sortir ces métiers du groupe de leurs clients uniques : les collectivités locales. La cible : les industries. Nos villes, nos communes, nos villages, ont besoin d'une eau propre, d'un ramassage organisé de leurs déchets et de leur traitement, ainsi que d'une énergie efficace et aussi peu chère que possible, sans oublier une logistique en matière de transport qui soit parfaitement organisée. Mais nos industriels, soumis à des pressions extérieures de plus en plus fortes, ont également besoin de gérer dans des conditions écologiques optimales la propreté, le recyclage, le traitement de leurs eaux, le ramassage, le traitement, le stockage ou l'élimination de leurs déchets ainsi que la gestion de leur énergie. Embryonnaire au départ, ce pôle économique est progressivement devenu déterminant pour Vivendi Environnement. La clientèle industrielle pèse désormais 40 % de son chiffre d'affaires. Internationaliser, ouvrir sa clientèle, c'est bien. Mais ce ne fut possible qu'en nommant une équipe de management capable de gérer la croissance rapide de ces métiers. Elle a été constituée autour de Henri Proglio, un homme humble tombé très vite dans les métiers de service... Toute sa carrière a en effet été bâtie au sein du groupe Générale des Eaux, en en franchissant successivement tous les échelons.

Le potentiel de ces métiers est immense. Et nous sommes très loin d'avoir couvert, dans le monde, les besoins de protection des ressources en eau dont, pourtant, plusieurs milliards d'habitants restent tenus à l'écart. La lutte contre le gaspillage de l'eau n'en est en effet qu'à ses débuts. Dans les grandes villes des pays développés, il arrive encore que, pour deux litres qui sortent d'une usine de traitement des eaux à travers les canalisations de distribution, un litre seulement parvient au robinet du consommateur final.

Il faut par ailleurs traiter, recycler l'eau. Rien qu'en France, on estime que près de la moitié des eaux usées sont encore rejetées dans nos rivières, nos lacs, nos mers, sans avoir subi le moindre traitement alors que ces eaux sont polluées, parfois même dangereuses.

On dit souvent que, après le pétrole, l'eau deviendra à son tour un enjeu de conflits, de guerres, au cours de ce siècle. C'est très probable. Mais de tels enjeux guerriers peuvent, sous certaines conditions, devenir à leur tour des enjeux de paix. Fort de cette conviction, Vivendi Environnement a décidé de soutenir un grand projet permettant de relier la mer Rouge à la mer Morte afin d'offrir à la Jordanie, Israël et la Palestine, une alimentation correcte en eau. Cette démarche de Vivendi Environnement, sur une base « sans profit », forme de mécénat à la paix, est très ambitieuse. Car elle concerne une région extrêmement dangereuse au Moyen-Orient. Son seul but est de contribuer à l'amélioration de la qualité de vie des peuples qui y vivent pour que ces derniers puissent trouver l'eau nécessaire à leur agriculture et à leur consommation propre.

Au-delà de ces enjeux de guerres et de paix, la France peut être fière de son expertise reconnue dans un domaine où elle est leader depuis des décennies : la capacité de livrer de l'eau dans la plupart des pays du monde. Or, à ce jour, seuls 2 % de la population mondiale bénéficient du savoir-faire de ces équipes professionnelles, spécialisées dans les techniques de distribution et de protection sanitaire, grâce aux deux leaders mondiaux que sont les français Vivendi Environnement et sa concurrente Suez.

L'eau n'est pas seulement cette matière précieuse qui tombe du ciel. Elle est aussi l'aboutissement d'un long processus de services industriels destinés à protéger, retraiter et distribuer de l'eau potable, que ce soit dans une grande ville comme Paris ou dans les bidonvilles les plus démunis.

La revendication écologique ne pourra aller que croissante si nous ne voulons pas détruire notre planète, et si nous voulons respecter ce vieux proverbe : « Nous n'héritons pas seulement de la terre de nos parents, nous l'empruntons aussi à nos enfants. »

Vivendi Environnement peut désormais voler progressivement de ses propres ailes. C'est le sens de la mise en bourse de Vivendi Environnement au mois de juillet 2000, effectuée dans un marché difficile. Et néanmoins réussie. Ces formidables métiers de l'environnement se voient conférer la reconnaissance, l'identité et l'autonomie dont ils ont besoin pour se développer. Ainsi que nous l'avions fait pour les métiers de la construction, Vivendi Universal se retire progressivement de Vivendi Environnement pour descendre à environ 40 % du capital en juin 2002. L'étape suivante, naturelle, évidente, aurait été de donner leur totale liberté aux équipes. Il eût fallu céder sur le marché français les 40 % restants, en associant à cette opération quelques investisseurs et industriels français, gages d'une pérennité de l'histoire de ces métiers vieux de cent cinquante ans.

L'ambition a été stoppée, pour l'instant tout au moins. Elle est cependant nécessaire aux métiers de l'environnement qui ont besoin, pour financer une croissance très consommatrice en investissements de maintenance, et pour obtenir de nouveaux contrats, d'accéder directement au marché des capitaux, afin de se financer sans autre contrainte et sans autre analyse que celles des caractéristiques propres à ces métiers de l'environnement.

Lorsque Vivendi Environnement remporte le contrat de traitement des eaux de Pudong, la ville nouvelle de Shanghai, pour une durée de cinquante-cinq ans, c'est une grande victoire pour Vivendi Environnement et pour l'industrie française. Mais il s'agit d'investissements lourds à supporter durant de très longues années, avec une rentabilité aléatoire, difficile, différée dans le temps.

Une rentabilité dont les actionnaires ne verront la trace que bien des années après la signature du contrat. Ces métiers de l'environnement sont stables, prévisibles, à forte croissance compte tenu des besoins. Mais ils exigent des investissements lourds et des rentabilités différées. Ils doivent donc être identifiés en tant que tels. Espérons que l'on ne s'arrêtera pas à mi-chemin !

Troisième expression de cette ambition : l'idée, en apparence extravagante, de développer un champion français des médias et de la communication, alors que ce domaine est caractérisé, depuis des décennies, par une hégémonie américaine absolue.

En 1994, un embryon français est déjà là. Il s'agit de la première licence de radio-téléphone limitée à l'analogique, base de la création de SFR, ainsi que de la participation, très minoritaire dans le capital de Canal+, la chaîne de télévision à péage française créée en 1984. Ce n'est certes qu'un embryon, mais si ces métiers restent tels qu'ils sont, ils demeureront des marginaux, des croupions, par rapport aux métiers de l'environnement. Ils n'atteindront pas la masse critique permettant de dégager les économies d'échelle, ni de faire entrevoir, pour nos actionnaires, la meilleure rentabilité dans un monde de moins en moins français, de plus en plus européen, à défaut de devenir un jour résolument mondial et global. Le dilemme est simple : croître et s'en donner les moyens ou sortir et disparaître.

De la même façon, la question peut se poser de savoir pourquoi, dans ces métiers de médias et de contenus, qui regroupent la musique, le cinéma, la littérature, les jeux ou l'éducation, il est impératif de devenir mondial. Je ne crois pas que, dans le domaine de la culture et des loisirs, la mondialisation soit synonyme d'uniformisation ! Ou alors ce serait la destruction pure et simple de la richesse et de la diversité de notre civilisation. Ce que je crois, c'est que cette mondialisation se traduit à la fois par de fantastiques réseaux de distribution mondiaux, qui sont des réseaux physiques, mais aussi par des réseaux virtuels comme internet. Au travers de ces réseaux, certaines créations deviennent des succès mondiaux, universels. Universel, c'est ce qui naît quelque part, avec une identité propre et qui devient, par ses qualités, ses vertus, un succès mondial. La mondialisation en matière de culture, d'éducation et de loisirs ne se résume pas à la puissance de ses réseaux de distribution. Ceux-ci laissent, il faut bien le reconnaître, trop de place au travers du marketing, de la promotion et des moyens financiers des producteurs, à la banalisation... Quoi qu'il en soit, au côté de ces superproductions, comme on pourrait les appeler, ma conviction est que la mondialisation génère un autre besoin : la recherche effrénée, qui ne fera que s'accentuer avec le temps, de la quête de nos origines, de nos propres racines, de l'identité de notre propre culture. La mondialisation bien assumée, c'est pouvoir dire : « Je suis citoyen du monde, mais aussi de " mon " pays, de " ma " commune. »

Un groupe de médias qui se contenterait d'être global serait un colosse aux pieds d'argile. La vraie force, c'est de combiner cette globalité avec la connaissance et la compréhension de nos cultures et de nos racines. Être à la fois global et local, allier à la fois les succès planétaires et les talents régionaux, c'est ce qui fonde l'ambition de Vivendi Universal, celle de la diversité culturelle. Le métier de la musique l'illustre pleinement. Si Universal Music en est le leader mondial, c'est non seulement grâce à sa présence dans soixante pays, et à sa capacité de vendre les prochains disques d'Eminem, de Shania Twain à plus de dix millions d'exemplaires, mais c'est aussi parce qu'il est le premier découvreur de talents français en France, anglais en Angleterre, allemands en Allemagne... Universal Music a été le premier (et avec lui son patron en France, Pascal Nègre), à la fin des années 80, dix ans avant la finale, victorieuse celle-là, contre le Brésil en 1998, à avoir compris que la France était multiculturelle, « black, blanc, beur », et à découvrir des talents d'origines variées.

Si demain l'industrie des médias et des contenus est globale, ce sera aussi grâce aux économies d'échelle, rendues possibles en matière de distribution et de logistique. Autour d'internet, face à une concurrence acharnée, une des conditions-clés de la réussite, notamment en terme de marges et profits, sera de pouvoir réduire les coûts afin de toucher le plus grand nombre de consommateurs. Les économies d'échelle ainsi réalisées nous permettront d'appréhender les risques technologiques.

Pour l'industrie de la création, l'un des grands enjeux est la lutte contre le piratage et la distribution gratuite au travers d'internet et du partage des fichiers (le *free file sharing*) de la propriété intellectuelle des créations. Sans protection de la valeur de cette propriété intellectuelle, il n'y a plus ni création, ni industrie de la création du contenu. L'enjeu de la protection est énorme sur le plan financier. Seuls les très grands groupes pourront réellement supporter le coût de la lutte contre le piratage dans l'industrie de la musique, du cinéma et des jeux. Un groupe global, fort de sa présence dans plusieurs métiers de contenus, est mieux armé pour mener ce combat.

Enfin, un groupe de médias global doit fournir la capacité d'intégrer des industries proches ou de décliner sur plusieurs supports, et sous plusieurs formes d'accès aux consommateurs, de véritables franchises qui constituent l'une des richesses principales des métiers de contenus. Une telle intégration se produit depuis des années déjà entre les métiers du cinéma et de la télévision. Un bon film au cinéma peut devenir la base de séries télévisées exploitées sous de multiples créneaux, au travers de multiples chaînes.

Lorsqu'un film est fort, et s'il plaît, pourquoi, par ailleurs, en limiter l'exploitation au cinéma et à la télévision? Pourquoi ne pas le décliner sous forme de disques, de livres, de jeux? C'est ce que permet Vivendi Universal, là où, auparavant, la coexistence séparée de métiers différents rendait les choses plus complexes. Cela consiste, par exemple, à permettre à partir du personnage de la Momie, de créer un autre film dérivé, *Le Roi Scorpion*, puis des séries télévisées, puis de vendre la bande musicale du film, de produire des jeux, d'éditer des livres, etc. C'est la possibilité au travers d'un immense succès musical, celui d'Eminem, de produire un film dont il sera la vedette à partir de l'histoire de ce rappeur blanc victime d'un racisme à rebours dans les banlieues américaines où la musique rap, lorsqu'il était enfant, était la marque culturelle exclusive des communautés noires. C'est encore prendre un héros de bande dessinée américain, comme le petit singe, Curious George, et en faire pour les enfants un personnage de logiciels éducatifs, de séries télévisées, et pourquoi pas demain, de cinéma.

Dans ce domaine de la création, où l'invention d'un personnage est un processus long, aléatoire, coûteux, la capacité de développer à l'intérieur du groupe de véritables franchises exploitant les plus populaires d'entre eux sur tous les supports, au travers de tous les métiers du groupe, permet une véritable économie d'échelle, de moyens, en même temps qu'un fantastique levier de développement et d'accélération du succès des meilleures de nos créations.

C'est cela que j'ai construit avec Vivendi Universal : un groupe français d'origine, européen par nature, global par vocation, présent dans plus de quatre-vingts pays, réalisant toujours l'essentiel de son chiffre d'affaires en Europe (plus de 55 %), mais puissant, aussi, aux États-Unis (35 %). Le numéro un mondial de la musique, le numéro un mondial du cinéma américain et des cinémas européens, le numéro deux des jeux, de l'éducation. Vivendi Universal est la préfiguration de ces groupes de médias globaux par sa présence tant en Europe qu'aux États-Unis.

À cette ambition de la création, dans le domaine des médias et des contenus, s'en est ajoutée une autre : celle d'une présence certes plus sélective et régionale, concentrée, pour l'essentiel, à l'Europe, dans les métiers de la distribution. La fameuse convergence entre les contenus et les tuyaux, puis entre les contenus et la distribution, relevait-elle du rêve ? Était-ce une ambition mythique ou une vraie réalité d'avenir ?

Notre ambition dans la distribution était beaucoup plus restreinte. Exclusivement européenne et limitée à deux technologies : la distribution par satellite au travers de Canal+, et les télécommunications, en particulier la téléphonie mobile, au travers de Cegetel. Elle n'a d'ailleurs pas vocation à aller bien au-delà. Les trois quarts du chiffre d'affaires sont réalisés dans les métiers de contenus et un producteur de contenus doit être capable de distribuer ses différentes créations sur l'ensemble des supports et plates-formes, au travers de tous les distributeurs. Cela reste la base de ce métier, de la stratégie et de l'ambition de VU.

En même temps, nous avions décidé de développer nos propres activités dans les technologies qui nous paraissaient les plus représentatives de l'avenir, celle du satellite et celle de la mobilité. Pour l'intérêt qu'elles présentent à un horizon proche, qui permet de comprendre ces nouveaux modes de distribution et de comportement des consommateurs, comme pour leurs perspectives de croissance forte en étant présent à leur démarrage, pour leur perspective de profitabilité. Sans oublier leur capacité de renforcer les positions là où se trouve le cœur de l'activité du groupe, l'essentiel de ses points forts, la France d'abord, l'Europe ensuite.

En face de la distribution, également en phase de concentration très forte, celui qui n'a aucune arme spécifique pour lutter, pour négocier avec les distributeurs, peut, si cette concentration s'accentue encore, se retrouver en situation extrêmement difficile. Ses marges seront laminées par des distributeurs tout-puissants. N'est-ce pas ce qui s'est passé dans de nombreuses industries, notamment la grande consommation et les produits alimentaires? Pour lutter à armes égales avec les distributeurs, il faut bien sûr disposer d'abord dans son métier principal, le nôtre étant celui des contenus, des meilleures parts de marché, des meilleurs produits. La création et le succès demeurent nos meilleures armes.

Pour avoir les meilleures capacités de négociation avec les distributeurs, si vous êtes vous-même un distributeur, ou que vous avez noué des alliances privilégiées avec certains réseaux de distribution, vous êtes d'autant plus incontournable et respecté. Bien qu'en la matière notre stratégie n'était en aucun cas de posséder ou contrôler l'ensemble de nos réseaux de distribution – loin de là ! – nous avions choisi de mener une double stratégie de contenu et de présence sélective, forte sur le plan régional, tout particulièrement européen, dans les métiers de la distribution qui nous sont apparus les plus porteurs. À ces contrôles, limités, de certaines activités de distribution, nous avions ajouté une stratégie d'alliance privilégiée avec certains distributeurs. C'est le cas avec EchoStar aux États-Unis, dans le domaine satellitaire que nous connaissons bien. Au-delà, le fait d'offrir les meilleures conditions dans les contrats commerciaux, avec le plus grand nombre possible de plates-formes et de distributeurs, complète le paysage.

Contrôle sélectif, alliances privilégiées et accords commerciaux larges, constituaient au total le triptyque de notre stratégie dans le domaine de la distribution en complément de notre métier dominant, qui vise à faire de Vivendi Universal le premier groupe mondial dans le domaine des médias et des contenus éducatifs et de loisir.

Cette convergence, la pierre angulaire de l'ambition de Vivendi Universal, n'est-elle pas une idée bidon, mort-née en très peu de temps, condamnée à ne plus réapparaître ?

Nous nous sommes trompés de calendrier, pas de tendance. Pourquoi ? Parce que le développement de la bulle internet, les promesses faites par les équipementiers de disponibilités quasi immédiates des nouvelles technologies, notamment dans la téléphonie mobile, conjuguées à l'explosion, au tout début des années 2000, des investissements consacrés aux infrastructures destinées à acheminer du haut débit, donc à amener tous les contenus sous toutes leurs formes directement chez le consommateur, nous ont laissé croire que cette tendance de la convergence était immédiate. Or elle ne l'était pas. Et elle ne l'est toujours pas. Mais elle est là. La tendance au haut débit et à la mobilité est irréversible. Au rythme que facilitera toutefois l'assainissement des industries des télécoms et du câble, les investissements permettront d'amener le haut débit chez le consommateur.

Le haut débit, cela signifie une puissance et une capacité telles, que tous les produits, et pas simplement la voix, le son ou les données, mais aussi les images, seront disponibles en quantités quasi illimitées pour les consommateurs, à tout moment, sous forme de services à la demande. Écouter immédiatement l'interprétation d'une symphonie de Beethoven par Karajan ou regarder sans attendre un film des années 30 qui me fait envie... Qui n'en a pas rêvé?

Une telle perspective ne nécessitera pas seulement un effort de trois ou quatre ans, mais plutôt de dix ou vingt ans. Les investissements réalisés par les groupes de contenus et de distribution, comme Vivendi Universal, doivent s'ajuster à ce rythme plus lent que prévu. De ce point de vue-là, c'est vrai, nous sommes allés trop vite, trop fort. Même si nous avons priviliégié dans le groupe les développements internes sur les acquisitions. Nous avons, de ce fait, commis moins d'erreurs que beaucoup. Et que dire de Vizzavi, le portail multiaccès développé avec Vodafone depuis l'été 2000? Comme l'a dit mon successeur, récemment : «Comment ne pas y croire quand, au lendemain de l'annonce, les analystes l'évaluent à 20 milliards d'euros? » Je me souviens avoir dit à mes équipes la veille : «Vous verrez, Vizzavi, dans cinq ans, cela vaudra 5 à 10 milliards d'euros. » Et le lendemain, le marché dit : « cela vaut 20, aujourd'hui. » Déraison du marché... Il faut revenir à la réalité mais sans compromettre l'avenir. Il faut maintenant ralentir, patienter mais continuer. De la même manière, la technologie de mobiles, le fameux UMTS, promise pour 2001, ne sera vraisemblablement disponible qu'en 2004 ou 2005. Ses performances croîtront petit à petit. Plus tard, cette technologie sera néanmoins là, et permettra de transporter sur le téléphone mobile non seulement de la voix mais des services, des images, des bandes annonces, et de s'échanger quelques secondes de films tournés en temps réel, ainsi que des images, des dessins, des photos en pagaille. Là encore, il faut ajuster, patienter... mais continuer.

La convergence repose sur une tendance profonde : c'est notre désir de pouvoir tout consommer à la carte, « au moment où j'en ai envie, là où j'en ai envie, à partir de l'écran dont j'ai envie ». Ainsi évoluent notre civilisation, nos habitudes de consommation. Pensez à la télévision couleur. Ce n'est pas parce que les écrans couleur, dotés de la technologie Technicolor, sont arrivés sur le marché avec deux ou trois ans de retard par rapport à ce que prédisaient les équipementiers et les fabricants eux-mêmes que vous avez toujours un poste noir et blanc. Il en ira de même pour la plupart de ces technologies de convergence, de haut débit et de mobilité.

Ne pas préparer nos industries, nos métiers à cette évolution serait grave, coupable. Cela les condamnerait à terme. En sens inverse, ne pas ajuster l'évolution de nos investissements, de nos développements, au rythme réel de pénétration de ces technologies serait également coupable pour la profitabilité et la solidité de nos métiers. Course de fond plutôt que sprint, donc. C'est pourquoi la convergence reste l'un des éléments fondateurs de la stratégie qui devrait sous-tendre, pour l'avenir, la cohérence et la réussite de Vivendi Universal. Cette ambition de Vivendi Universal est réaliste. Elle est à portée de main. Elle est cohérente avec la globalisation de nos économies. Avec l'évolution des technologies vers le haut débit et la mobilité. Avec l'évolution de nos habitudes de consommation.

Et la mégalomanie dans tout cela ? Nous y voilà ! La réalité des parts de marché du groupe est déjà en soi une réponse. La réussite de ses créations et le talent de ses équipes en est une autre. Vivendi Universal, ce n'est pas un rêve mégalomaniaque. C'est déjà un groupe leader dans ses métiers.

Mais je reconnais bien volontiers que des erreurs, peut-être trop d'erreurs, ont conduit à donner à cette ambition entrepreneuriale une dimension médiatique ou personnelle excessive. Personnaliser le groupe était nécessaire au moment de démarrer cette transformation du leader français de l'environnement en un leader mondial des métiers de la communication. Cela nous a permis d'aller plus vite, de gagner en notoriété, en crédibilité, en capacité de fédérer autour de Vivendi Universal des métiers, des parts de marché, et aussi, et c'est le plus important, des équipes qui ont adhéré à cette ambition, à cette vision d'entrepreneur.

Mais, soyons clairs, ce qui était utile dans un premier temps ne l'était sans doute plus vraiment ensuite. Or j'y ai trop pris goût et cela fait partie des erreurs évidentes que j'aurai pu, que j'aurai dû éviter. Si bien que le débat sur l'ambition d'entreprise de Vivendi Universal s'est transformé petit à petit, sans que je le voie réellement, en un débat sur la personnalité d'un homme à la tête de cette entreprise.

Cette évolution a naturellement été extrêmement contre-productive pour Vivendi Universal. Elle est même devenue dramatique, difficilement contrôlable et d'ailleurs pratiquement incontrôlée lorsqu'au début de cette année 2002, tout s'est conjugué contre Vivendi Universal : la nouveauté, la complexité, l'effondrement des marchés, les retards technologiques, la crise de confiance liée aux fraudes d'un certain nombre d'entreprises américaines comme Enron ou WorldCom.

L'ambition est alors reléguée au second plan et la dimension médiatique, personnelle, a pris le dessus. La contrepartie de la présence médiatique, c'est le risque de devenir un bouc émissaire lorsque l'environnement change, lorsque les uns et les autres, pour de bonnes ou de mauvaises raisons, en recherchent un. Un bouc émissaire : c'est incontestablement ce que je suis devenu en ce début d'année 2002, bien sûr contre mon gré, mais également en raison de mon action passée et de cette surmédiatisation. Qu'il y ait un côté injuste n'est pas le problème. C'est un fait, une réalité.

Trop de médiatisation personnelle a donné lieu, dans des circonstances difficiles, à un « haro sur le baudet » totalement excessif. Combien d'entreprises en proie à des parcours boursiers ô combien plus difficiles, confrontées à des difficultés à moyen ou long terme en matière d'endettement ou de valeur d'actifs, voire menacées sur la pérennité même de leurs métiers autrement plus sérieusement que Vivendi Universal, n'auraient-elles pas mérité de faire la Une des journaux quotidiens ou économiques ? Vivendi Universal a subi, durant toute cette période, un acharnement médiatique disproportionné fondé sur d'inutiles soupçons. C'est cela qui a contribué, après cette phase de très, trop grande médiatisation personnelle, à cette image de mégalomanie. Je le regrette d'autant plus profondément que l'ambition d'entreprise est alors passée au second plan. La qualité de nos métiers, de nos équipes, de nos résultats, a été reléguée en bas de page ou a disparu des commentaires, qu'ils soient de marché, de presse ou dans les « dîners en ville ». Le débat personnel a primé sur le débat d'entreprise. Il a masqué ses forces, la réalité de ses équipes, de ses dirigeants, de ses succès. En cela, il a été profondément injuste.

La vision de Vivendi Universal reposait sur une logique d'entrepreneur. Elle constituait aussi une chance pour la France et l'Europe, absentes de l'enjeu décisif des loisirs et de l'éducation. Elle supposait une France et une Europe modernes, ambitieuses, prêtes à bouger, en même temps qu'une Amérique prête à s'ouvrir plus efficacement aux autres cultures. Cette ambition et cette vision constituaient un pari résolument optimiste sur l'avenir de notre planète.

Mais pour pouvoir mesurer la réalité de cette ambition, de ses réussites et de ses perspectives, il faut revenir sur la crise qu'a traversée Vivendi Universal en ce début d'été 2002 et accepter d'évoquer les erreurs qui ont pu être commises.

Chapitre IX
La crise de VU :
info ou intox?

« L'avenir, tu n'as pas à le prévoir, tu as à le permettre. »

Antoine de Saint-Exupéry.

Beaucoup, beaucoup de choses ont été dites ou écrites sur la situation de Vivendi Universal. Certaines exactes, d'autres, malheureusement plus nombreuses, erronées. Volontairement ou pas, d'ailleurs. Par souci d'exactitude, par respect pour les salariés, pour les actionnaires, petits et grands, qui ont investi dans l'entreprise parce qu'ils ont cru, à juste titre, dans les perspectives et le potentiel du groupe, voici une relecture factuelle de la crise que nous avons traversée. Les réponses aux questions que vous vous êtes posées. La part du vrai et du faux entre « Info » et « Intox ».

Cette « relecture » est parfois technique, pour être précise, rigoureuse. Sa présentation sous forme de questions-réponses permettra à chacun de s'arrêter uniquement sur

141

les points qui le préoccupent, d'en avoir « sa » lecture, facile, directe.

– **Question :** *Comment la crise de liquidités de Vivendi Universal de l'été est-elle arrivée ? Ne l'aviez-vous pas vue venir ? Pourquoi n'avez-vous pas réagi ? N'est-ce pas idiot de « tomber » sur une crise de liquidités finalement restreinte par rapport à la taille du groupe ?*

Vivendi Universal est un groupe sain. Malgré son endettement et la baisse dramatique des marchés, la valeur de ses actifs est largement supérieure à celle de ses dettes. La solidité intrinsèque du groupe n'est donc pas en cause.

Crise de liquidités, oui, avec de multiples facteurs qui y ont conduit. Crise de solvabilité, en aucun cas.

Nos dettes sont mal réparties, trop concentrées dans le temps, avec de nombreux remboursements fin 2002 et 2003. Nous le savons, nous le savions. Nous avions décidé de traiter le problème à froid, à l'automne 2002, en renégociant non pas le montant de cette dette, mais ses échéances. Nous avions les lignes de crédit disponibles pour cela. Ainsi que plusieurs solutions pour consolider la marge de trésorerie, l'excédent de trésorerie, avant d'ouvrir cette discussion. Afin de ne pas être dans les mains des banques, en position de faiblesse.

Alors qu'est-ce qui a dérapé ? Qu'est-ce qui a provoqué ce besoin urgent d'environ 2 milliards d'euros au cours de l'été ? Non pas une, mais plusieurs raisons cumulées ont mis en place ce piège financier. Mais, disons-le, cela n'aurait jamais dû arriver. Et cette fragilité à court terme dans un groupe solide n'aurait jamais dû tourner à la crise. Comment aurait-on pu l'éviter ?

• par une gestion différente de notre dette, en empruntant plus cher mais à plus long terme ;

• par une cession complète de l'environnement quelques mois plus tôt, décision hélas contestée au sein du conseil. Elle aurait rapporté 4 à 5 milliards d'euros de plus, soit un montant plusieurs fois supérieur à la difficulté que nous avons rencontrée ultérieurement ;

• par une cession partielle de l'environnement plus tôt dans l'année à un meilleur prix se heurtant hélas aux contraintes et oppositions politiques. Elle aurait permis d'encaisser 500 millions d'euros de plus et, arrivant avant la faillite de WorldCom, de réaliser l'émission obligataire de 2 milliards qui était « prête à l'emploi » ;

• par une émission obligataire, même chère. Successivement, la finalisation de la vente des vins et spiritueux de Seagram, puis les rumeurs, la crise de Canal+ et enfin la faillite de WorldCom nous en ont empêchés. Ces trois éléments nous ont successivement obligés à y renoncer. C'est un enchaînement rageant ;

• par la possibilité de tirer toutes les lignes de crédit qui, pourtant, existaient ;

• par la décision de ne pas verser un dividende cette année. Avec l'impôt sur le précompte, c'est 1,4 milliard qui ne serait pas sorti des caisses, à peu près le montant de la difficulté estivale ;

• par un conseil uni, ne livrant pas la société à des rumeurs permanentes ou gelant certaines décisions comme la vente des warrants d'USA Network pour des raisons davantage tactiques que de fond ;

• par des marchés « normaux », sans les drames des méga-faillites ou méga-fraudes de certaines sociétés américaines, sans l'exacerbation de la volatilité, de la réactivité aux rumeurs, les règles constamment changeantes des agences de notation.

Seule une telle conjonction astrale, voyant tous les éléments se mettre au rouge, ensemble, et en quelques mois seulement, a pu conduire à cette crise, certes temporaire mais réelle. Une crise de trésorerie ne met pas des années à se déclencher, elle se cristallise en très peu de temps, en quelques semaines, en réalité même en quelques jours, comme un jeu de dominos. Les « lucidités rétrospectives » sur le thème « je vous l'avais bien dit » sont simplistes et artificielles. Car cette crise n'avait rien d'inéluctable. Compte tenu des multiples options offertes au groupe, elle était même imprévisible. Et pourtant, elle est arrivée. Il aurait suffi qu'un seul des éléments avance dans la bonne direction pour que cette crise temporaire puisse être évitée.

Les rumeurs et les manœuvres ont noirci le tableau. Comme si l'état des marchés ne suffisait pas.

Cette crise n'aurait jamais dû se produire! Elle aura d'ailleurs été surmontée assez « facilement » en quelques mois car le groupe est sain. Mais au prix d'un grand traumatisme, forcément durable en terme de confiance.

– Question : *Avec le nombre d'acquisitions faites par VU en si peu de temps, n'étiez-vous pas, plutôt qu'un patron, un simple banquier d'affaires?*

Rien n'est plus faux que cette idée reçue. Mon métier à la tête de Vivendi Universal n'avait rien de celui d'un banquier d'affaires, passant son temps à acheter ou vendre avec son directeur financier et des conseils extérieurs.

Lors des acquisitions, les relations avec les banquiers d'affaires étaient prises en charge directement par Guillaume Hannezo et son équipe et par les responsables opérationnels en charge des métiers concernés. L'expérience et l'intervention d'Eric Licoys étaient également décisives. Il y a très peu d'acquisitions sur lesquelles je me sois

directement et lourdement engagé en termes de négociations : Seagram, bien sûr par sa taille ; USA Networks, par
son enjeu industriel et la personnalité de Barry Diller ;
EchoStar, car au-delà des discussions des équipes, la relation personnelle avec Charlie Ergen, créateur d'EchoStar,
était décisive. Pour les autres, j'étais « à disposition » mais
pas en première ligne.

Pour que l'intégration se passe bien, il faut que les opérationnels se sentent en charge, responsables de l'évaluation, des engagements de synergie, des plans opérationnels
à mettre en œuvre. Tel état le cas avec Agnès Touraine
pour Houghton Mifflin ou Philippe Germond pour
Maroc Telecom ou mp3.com. Ou encore Ron Meyer et
Stacey Snider pour le rapprochement Universal Studios –
USA Networks.

— **Question :** *À quoi passiez-vous votre temps alors ?*

En dehors du temps excessif consacré à la communication ? À diriger le groupe ! C'est-à-dire à animer les
équipes, les motiver sur leurs résultats, les mobiliser sur les
actions « transversales » communes à plusieurs métiers et
décisives pour l'avenir. À évaluer avec eux les hommes,
leur potentiel, leur avenir.

Je n'ai jamais souhaité connaître les métiers uniquement par les chiffres. Je passais donc du temps à assister à
des réunions internes, pour connaître les problèmes, les
perspectives et les équipes. J'assistais régulièrement aux
comités directeurs de Cegetel avec Philippe Germond, son
président. J'ai aussi participé à des réunions sur le marketing de lancement de films comme *The Fast and the
Furious*. Pour comprendre comment se faisait l'identification, la segmentation de la clientèle d'un film et comment

l'atteindre au mieux et au moins cher. Cela m'a permis de prendre la pleine mesure des talents de Stacey Snider, en charge d'Universal Pictures et aujourd'hui sans doute le meilleur dirigeant « cinéma » au monde. Cette compréhension concrète des métiers m'était indispensable.

C'est après avoir assisté à des réunions de ce type que j'ai créé le World Entertainment Committee qui réunissait une demi-journée par mois, non seulement les patrons de nos métiers de contenus, mais leurs responsables marketing. Pour défricher de nouveaux territoires communs comme la recherche de recettes publicitaires directes ou le choix de franchises à développer au sein du groupe. Nous avancions très vite et très concrètement dans ces idées communes, grâce à ces confrontations directes patrons/vendeurs/tous métiers confondus. Mais je crains que cet élan n'ait été brisé depuis quelques mois. La gestion financière est prise en charge. Et c'est indispensable. Mais la gestion opérationnelle, industrielle est en train de se déliter et c'est préoccupant.

Autres exemples de cette implication personnelle : le budget et la revue des talents.

Les budgets étaient chaque année discutés avec la direction financière. Avant leur approbation, je passais systématiquement une demi-journée à les revoir avec les équipes opérationnelles et financières. Pour les améliorer. Pour déceler, au-delà des chiffres, les marges de manœuvre. Pour solenniser les engagements. Pour avoir les options propres à chaque métier bien en tête. Et l'on recommençait ces réunions autant de fois que nécessaire, jusqu'à ce que les engagements pris m'apparaissent à la fois réalistes et ambitieux.

Le reste de l'année, l'information sur les résultats, la croissance, les coûts, les marges, les parts de marché remontaient régulièrement. Nous analysions aussi les données de marché lors de chaque comité exécutif. Je suivais personnellement les résultats commerciaux : toutes les semaines pour les abonnés SFR et Cegetel, voire tous les jours en cas de lancement de nouvelle offre ; toutes les semaines aussi pour les classements dans la musique. Pour les films, les livres ou les nouveaux jeux, dans les jours qui suivaient chaque lancement...

Ces performances commerciales et créatives sont, au-delà de l'état des marchés, le véritable « thermomètre » du groupe, de sa compétitivité, de sa capacité à créer des richesses et de la valeur !

La revue des talents. Quatre à six heures une fois dans l'année, pour discuter avec chacun de ses principaux dirigeants, de leurs qualités et de leurs faiblesses, de la manière de les former, de les préparer à élargir leurs responsabilités, à repérer des jeunes à haut potentiel. De telles revues détaillées, préparées très en amont pour chaque métier au travers d'une évaluation de tous leurs cadres et d'une sélection dure, étaient diablement utiles. Ces revues de talent me permettaient au-delà du travail quotidien, de suivre personnellement le sort de cinq cents à six cents dirigeants et « hauts potentiels ». Passionnant et consommateur de temps.

C'est cela le métier de patron. Ou plus exactement la manière dont je l'exerçais. Je crois que cela contribuait à la cohésion de l'équipe, à son envie de gagner des parts de marché, partout. Cette gestion de mon agenda était un investissement sur l'avenir. De très loin, ce sont ces préoccupations opérationnelles qui cannibalisaient le plus mon emploi du temps.

— **Info :** *Vivendi Universal traverse une grave crise de valorisation boursière comme toutes les valeurs de technologie,* *de médias et de télécoms. Le cours s'est effondré de manière inquiétante pour l'actionnaire.*

C'est vrai. Le marché a toujours raison. Cela ne veut pas dire qu'il ait raison tous les jours, ai-je l'habitude de souligner. C'est l'occasion de rappeler que tout investissement en bourse est une prise de risque ; qu'une action n'est pas un placement de caisse d'épargne ou une obligation ; que la « volatilité » extrême des marchés depuis la fin des années 90 représente un risque grandissant pour l'actionnaire, en particulier individuel. Je reviendrai sur ces « marchés fous ».

En ce qui concerne les valeurs dites TMT (Technologies-Médias-Télécommunications), depuis deux ans, on peut dire que le marché n'a pas raison très souvent, ou plus exactement qu'il est passé d'un extrême à l'autre ; d'un abus à l'autre ; d'une incohérence à l'autre. Début 2000, tous nos titres étaient soufflés par la vague de l'internet, par cette bulle spéculative, qui aboutissait à ce que toute annonce liée aux nouvelles technologies se traduisait par une hausse très substantielle des cours des valeurs concernées. Combien de chefs d'entreprise ont alors vu leur cours de bourse s'envoler aussitôt qu'ils prononçaient le mot magique « .com » devant les analystes financiers sans que personne, ni à l'intérieur de l'entreprise, ni à l'extérieur, eût été capable de dire avec précision ce qu'un tel sésame pouvait réellement ouvrir.

Comme d'autres, nous avons vu notre cours littéralement soufflé par cette bulle internet jusqu'à atteindre, pour l'action Vivendi Universal, un cours de 140 euros en mars 2000. Les multiples sur nos résultats d'exploitation devenaient difficilement justifiables. Peut-être, comme beaucoup, avons-nous aussi alimenté cette spéculation à la hausse en mettant trop l'accent sur nos nouvelles initiatives dans le domaine d'internet, dans le domaine de la téléphonie mobile, dans le domaine des nouvelles technologies, comme l'a montré notre accord avec Vodafone portant sur la création du portail multi-accès Vizzavi.

De telles annonces ont donné lieu, manifestement, à des emballements excessifs de la part des analystes comme des investisseurs. Entre le « Vizzavi ça vaut 20 milliards d'euros » d'avril 2000 et le « Vizzavi ça vaut zéro » de l'été 2001, difficile de suivre, même en ayant « bouclé sa ceinture ». Difficile néanmoins pour un patron de dire : « Attention, attention ! Mon cours est surévalué, n'achetez pas ! Je souhaite que mon cours baisse. Attention, attention ! Je ne comprends plus les méthodes de valorisation utilisées par le marché... »

Depuis 2000, les valeurs TMT se sont effondrées en bourse, souvent au-delà du raisonnable. Pas seulement celle de Vivendi Universal. Toutes les valeurs de médias et de télécoms. Certes, les explications existent : le retour à la raison quant au rythme de croissance que l'on peut attendre des activités de nouvelles technologies et liées à internet ; la difficulté à trouver, sans un marché publicitaire extensible, un modèle économique conduisant les métiers des nouvelles technologies à une rentabilité rapide ; la forte baisse des investissements d'infrastructure ayant amené les fabricants et les équipementiers, notamment télécoms, à des difficultés majeures, voire à des licenciements massifs, comme Alcatel en France, Lucent, Nortel et bien d'autres ailleurs dans le monde ; les retards dans la disponibilité effective des nouvelles technologies ayant engendré un surcroît d'investissement difficile à rentabiliser à court terme... Tout cela existe. Mais cela justifie-t-il à ce point l'effondrement des indices des valeurs médias-télécoms qui a, par exemple, dépassé pour l'ensemble des valeurs européennes de médias 60 % depuis un an et demi, c'est-à-dire entre le 1er janvier 2001 et le début de l'été 2002, ou même 75 % en moyenne sur les valeurs télécoms en Europe durant la même période ? Or une baisse de 75 % de l'indice des télécoms signifie qu'en deux ans, toutes les valeurs télécoms ont, en moyenne, vu leur cours diviser par quatre ! Et même, comme pour France Telecom, par trente environ. Impressionnant et effrayant pour l'ensemble des investisseurs et des actionnaires.

On objectera que cette industrie a entretenu des espoirs trop forts et trop rapides. Soit. Mais, tout de même, les marchés ne portent-ils pas eux-mêmes une part prépondérante de responsabilité, dopés par des analystes qui alimentaient cette spéculation à la hausse avant de retourner leur avis comme on retourne une veste, en l'espace de quelques semaines, voire parfois moins ? Il y a là de quoi décourager tout véritable investisseur qui croit un tant soit peu dans l'entreprise et qui ne considère pas le marché comme un simple instrument permettant de gagner de l'argent au jour le jour. Ces investisseurs sont pris à contre-pied. Ils font face à des pertes souvent colossales et se trouvent contraints à la plus extrême des prudences ou des inactions.

Question : *Quel rôle les fonds spéculatifs ont-ils joué ?*

Ces fonds ont su trouver toute leur place sur des marchés devenus essentiellement spéculatifs, où la valeur de l'entreprise n'a plus grand-chose à voir avec sa cotation boursière et où le jeu consiste à s'enrichir au quotidien en ciblant les titres devenus très fragiles pour une raison ou pour une autre. Les méthodes des fonds spéculatifs sont généralement connues : dans des marchés difficiles, on lance des rumeurs sur une société, puis on vend massivement des titres que l'on ne possède pas (cela s'appelle « shorter » ou vendre à découvert un titre) en espérant que cela entraînera un mouvement de baisse important de l'action faute d'investisseurs à l'achat. Ensuite, on rachète les titres que l'on a déjà vendus, généralement un peu plus tard dans la journée ou quelques jours plus tard, à un cours évidemment plus bas puisqu'il a baissé dans l'intervalle. Le fonds spéculatif vend par exemple un million d'actions à 50 euros, en espérant ainsi déclencher une baisse massive qui provoque la panique des investisseurs. Puis ce fonds les rachète à 45 euros. Il a déjà gagné 5 millions d'euros. Ce qui l'incite à recommencer le lendemain. Et ça marche tant que le marché n'offre pas de résistance, tant que les investisseurs traditionnels devenus méfiants ne reviennent pas sur ce marché et aussi longtemps que la société cible s'en trouve fragilisée au gré des rumeurs. C'est hélas un jeu trop facile et gagnant pour les fameux *hedge funds*. Pis encore, ces derniers peuvent même jouer gagnant-gagnant en menant en parallèle deux opérations : la vente à découvert de titres, dont nous venons de parler, et l'achat simultané de la dette des sociétés portant un endettement significatif. En effet, toute rumeur courant sur des difficultés de l'entreprise et toute baisse de la valeur de son capital entraînent automatiquement une tension sur les niveaux auxquels s'échange la dette de l'entreprise concernée et sur sa capacité de la rembourser.

En lançant une rumeur, ces fonds gagnent à la fois à la baisse sur la valeur du titre et « à la décote », en rachetant la dette des entreprises concernées largement en dessous de leur valeur. C'est du gagnant-gagnant spéculatif contre l'entreprise, contre ses actifs, contre ses équipes et contre ses actionnaires à long terme.

Question : *Existe-t-il une issue à la crise actuelle des valeurs technologies-medias-telecom (TMT)?*

Quelle issue peut-on, en effet, envisager pour l'ensemble des valeurs TMT? Celle-ci est par nature difficile et forcément aléatoire à prévoir. Elle ne peut en effet reposer que sur deux éléments : un retour à la confiance quant à la croissance durable de ces sociétés, et un retour au sentiment que la pression spéculative s'efface. Plus la crise a été sérieuse, plus les *hedge funds* prennent une part active aux échanges sur un titre, et plus cette sortie de crise devient longue et aléatoire.

En général, le retournement survient quand on atteint un niveau ridiculement bas de valorisation d'un certain nombre d'actions. Cela pousse alors les *hedge funds* à se dire que ce niveau est devenu tellement éloigné de la réalité de la valeur de l'action que la probabilité d'une réaction devient plus forte, et donc que leur propre risque augmente. Ainsi, si une action vaut 50 euros, il sera moins risqué de la faire baisser de 50 à 40 euros que de 25 à 20 euros car les acheteurs opportunistes finiront par revenir.

Dans des marchés normaux, traditionnels, historiques, c'est ce qui se produit assez rapidement après toute baisse excessive du marché, qu'il s'agisse de l'ensemble du marché, d'une catégorie de titres ou d'une action donnée.

Aujourd'hui, cependant, la crise de confiance est telle que, malheureusement, ce mécanisme de régulation du marché ne joue pas, ou tout au moins n'a pas encore joué. Les valeurs TMT ont atteint, pour beaucoup d'entre elles, des niveaux de valorisation exceptionnellement bas, qui ne reflètent absolument plus la valeur de leurs actifs. Et les multiples calculés sur leur résultat d'exploitation ne tiennent aucunement compte du potentiel de croissance de ces métiers.

Le plus frappant, dans ces périodes, c'est que le marché ne sait carrément plus différencier le bon grain de l'ivraie. Prenez Cegetel, dont Vivendi Universal détient le contrôle managérial. C'est la seule valeur européenne de télécommunications non endettée (avec Belgacom), mais elle est traitée avec les mêmes multiples, les mêmes bases de valorisation que les opérateurs les plus endettés et dont la survie, par rapport à la valeur des actifs, est sujette à caution. Cela ajoute un élément de frustration énorme pour les équipes et cela constitue une source de danger supplémentaire pour le marché des investisseurs.

Vivendi Universal a pour une large part subi ce processus d'ensemble des valeurs TMT. Après avoir été la meilleure, ou plus exactement la moins mauvaise, sur le plan boursier des valeurs TMT européennes en 2001, notre cours s'est effondré plus brutalement que d'autres en 2002. Bien d'autres titres du secteur TMT ont subi une évolution de cours encore plus défavorable durant cette période. Il n'est que de citer AOL-Time Warner du côté américain ou bien encore, en France, France Telecom ou Alcatel... La baisse de notre cours est rageante, frustrante, inquiétante. La liste de la baisse des autres est déprimante, par sa longueur, par son niveau.

Juste quelques exemples depuis leurs plus hauts respectifs : AOL : - 85 %, France Telecom : - 96 %, Vodafone : - 80 %, Alcatel : - 97 %, BT : - 82 %, Cap Gemini : - 95 %, Yahoo : - 95 %, Deutsche Telecom : - 90 %, Cisco ou EDS : - 85 %, AXA : - 76 %, etc, etc, déprimant et tellement « inimaginable ».

Nulle raison de se réjouir de ce panorama bien inquiétant pour Vivendi Universal comme pour les autres valeurs de ces métiers. Mais il ne faut pas nier non plus le fait que les difficultés rencontrées par le groupe s'inscrivent dans ce contexte d'ensemble.

Question : *Et les autres valeurs, en dehors des TMT?*

Oh! cette crise boursière n'a pas touché les seules TMT. Les marchés dans leur ensemble connaissent depuis quelques mois une volatilité incroyable, jamais vue. Ils ont craqué, accentuant leur baisse tout au long du printemps et au début de l'été, battant « à rebours » leurs records de plus bas niveau depuis quatre ou cinq ans, parfois plus. Le CAC 40 par exemple a perdu plus de la moitié de sa valeur par rapport à son plus haut de 2000. Et pourtant il représente les 40 premières sociétés françaises, tous secteurs confondus. Il devrait donc être un « amortisseur ». Et bien non. Et cela, avec des volatilités extraordinaires. La volatilité caractérise l'ampleur d'une hausse ou d'une baisse au quotidien. Comment faire admettre à l'actionnaire individuel que la valeur d'une action puisse ainsi varier de 5, 10 ou 20 %, parfois plus, dans une seule journée? Dans ces conditions, comment préserver la confiance, ne pas s'inquiéter pour son épargne ou pour sa retraite lorsqu'on est salarié-actionnaire? Nous y reviendrons.

Toujours est-il que, si certains sont tout particulièrement mis à l'index, tous sont touchés. Et pas seulement les TMT! Même Saint-Gobain, l'illustration parfaite des métiers traditionnels, symbole du placement pour père de famille!

Le 26 juillet, en pleine torpeur estivale, le titre perdait jusqu'à 25 % en séance et 17 % à la clôture pour avoir raté de peu, d'une encablure seulement, ses résultats trimestriels... Et parce que le groupe couvrait le risque sur l'amiante, un problème connu depuis des années.

Et que dire d'Axa, en chute cette année de plus de 50 % en moins de sept mois ! Axa qui a coté jusqu'à 119 euros et est même redescendu un moment à un cours à un chiffre, à moins de 10 euros.

— **Intox :** *La baisse rapide de Vivendi Universal en 2002 viendrait de ce que sa dette est excessive par rapport à la valeur de ses actifs.*

C'est totalement faux. Cette question se justifiait pour la Compagnie Générale des Eaux fin 1994 lorsque les pertes immobilières potentielles et la dette pesaient plus que les fonds propres. Aujourd'hui, rien de tel. Le niveau des fonds propres du capital du groupe a été multiplié par plus de huit depuis 1994 et il dépasse aujourd'hui 40 milliards d'euros (30 milliards, après les provisions supplémentaires faites par la nouvelle équipe). Même les plus critiques des analystes et des investisseurs reconnaissent à Vivendi Universal une valeur d'actifs comprise dans une fourchette de 30 à 50 euros par titre malgré les circonstances très dépressives de marché que nous connaissons. L'endettement du groupe, qui atteint environ 18 milliards d'euros à la mi-2002, et qui est en route pour revenir sous les 15 milliards d'euros fin 2002, représente donc moins de la moitié de ses fonds propres tandis que la valeur des actifs du groupe est, dans le pire des scénarios, plusieurs fois supérieure à la dette.

Vivendi Universal est un beau groupe grâce à la qualité de ses actifs, ses parts de marché et ses performances.

C'est un groupe sain dont la valeur des actifs reste, en dépit de la conjoncture boursière, très largement supérieure à l'endettement. Un groupe sur lequel, à moyen et long terme, ne se pose aucune question de survie. Lorsque les marchés s'effondrent, certains groupes endettés peuvent voir la valeur de leurs actifs, appréciée de manière instantanée par le marché, devenir inférieure à la valeur de leur dette. La situation devient alors critique. C'est le cas d'un France Telecom, par exemple, avec une dette de sept fois sa capitalisation boursière au moment de l'arrivée à sa tête de Thierry Breton. Ce n'est absolument pas le cas de Vivendi Universal et personne de sérieux n'a d'ailleurs jamais évoqué cette hypothèse. Néanmoins, dans ces marchés troublés où les amalgames sont si faciles, si rapides et si injustes, c'est une vérité qui est bonne à rappeler.

— **Info** : *Néanmoins, la dette de Vivendi Universal est élevée, sans doute trop élevée.*

Oui, c'est vrai. D'un montant de 18 milliards d'euros, cette dette a beaucoup progressé parce qu'il fallait financer les ultimes acquisitions nécessaires afin que Vivendi Universal dispose de l'ensemble des compétences pour mener sa stratégie. À cela se sont ajoutées des acquisitions effectivement moins stratégiques et moins immédiatement nécessaires. Ces acquisitions furent effectuées tandis que le retournement des marchés rendait simultanément plus difficile, plus aléatoire, et financièrement moins confortable la vente de certains actifs. Le marché, après le 11 septembre 2001 et la peur provoquée par les scandales touchant quelques grandes entreprises américaines, nous a en quelque sorte « rattrapés » et même « attrapés ».

La dette doit donc diminuer dans cet environnement. C'est la priorité. C'est celle que nous avons fixée dès la fin de l'année 2001.

– **Intox** : *Vivendi Universal serait incapable de réduire cette dette ou d'en assumer les frais financiers.*

La réduction de la dette de Vivendi Universal, groupe de médias et de télécoms, en dessous de 15 milliards d'euros est à portée de main et repose très largement sur un programme de cessions d'actifs non stratégiques déjà largement engagé pour lesquelles des accords de principe ont d'ores et déjà été signés dans le courant du premier semestre de l'année 2002.

Aller plus loin encore est naturellement possible. Spécialiser Vivendi Universal en groupe de médias et de télécommunications – en faire un *pure player*, disent les Américains – en cédant le solde de la participation dans Vivendi Environnement ramènerait, fin 2002, l'endettement du groupe autour de 10 milliards d'euros. C'est une fois et demi son résultat d'exploitation ou deux fois son résultat d'exploitation si l'on exclut les participations minoritaires dans les télécoms. C'est sans doute l'optimum souhaitable. Il est à portée de main, pour autant que le conseil de Vivendi Universal décide de procéder aux cessions d'actifs et aux choix stratégiques qui doivent les accompagner. Espérons que cela ne sera pas fait en fonction de considérations plus politiques qu'industrielles, et que cela ne se fera pas au prix du renoncement à cette ambition d'avoir un groupe français numéro deux mondial des médias.

– **Info** : *Vivendi Universal n'a pas accès à l'ensemble du cash de ses métiers.*

C'est vrai dans la mesure où VU ne contrôle qu'une minorité du capital (respectivement 40 % et 44 %) de deux grands métiers, ceux de l'environnement et des télécoms, même s'il en assume le management et la centralisation de la trésorerie. Pour l'environnement, VU ne connaît que le dividende et pas le cash flow car il n'y a pas, compte tenu des investissements et de la croissance, de cash flow disponible chez Vivendi Environnement. Auparavant, Cegetel, dans sa phase de déploiement du réseau et de développement de sa clientèle, avec des coûts commerciaux élevés, était un « consommateur » de cash flow et certainement pas un fournisseur. Les choses n'ont évolué qu'en 2001 et surtout en 2002. Grâce à sa gestion opérationnelle, Cegetel dégage maintenant et de plus en plus du cash flow. Ses propres dettes seront remboursées début 2003. La question de l'accès à son cash flow pour rembourser les autres dettes du groupe va commencer ou commence déjà à se poser. Mais aujourd'hui, parce que, malgré son contrôle managérial, le groupe n'est que minoritaire en capital, l'accès au cash flow ne peut se faire que par le biais du dividende, dividende que VU peut néanmoins « forcer » chez Cegetel, même en l'absence d'accord des autres actionnaires. C'est donc un accès certain mais limité à la quote-part de capital détenu, comme il est d'ailleurs normal et connu du marché de tout temps. Il faudra dénouer cette situation, héritière, rappelons-le, des bons résultats de Cegetel.

Malgré les pertes de Canal+, dès 2002, l'ensemble de nos activités de médias, musique, jeux, éducation, télévision et cinéma dégagera non seulement suffisamment d'argent pour couvrir ses investissements, mais aussi la totalité des impôts du groupe et la totalité du financement de la dette du groupe, même celle des métiers hors média.

Question : *Mais n'était-il pas trompeur de consolider Cegetel à 100 % ?*

C'est une obligation comptable ! En comptabilité française comme américaine. Pas un choix ! Et si l'on consolide le cash flow de Cegetel à 100 %, on consolide aussi sa dette à 100 %. Or le cash flow de Cegetel sert à rembourser la dette de... Cegetel ! Il faut être cohérent.

L'important c'est de savoir que, même minoritaire ou sans contrôle de majorité qualifiée, on peut forcer un dividende. C'est ce qui donne l'accès certain à un cash flow « proportionnel ». Et dès que les analystes, les agences de notation ont mis l'accent sur cette notion, nous l'avons immédiatement explicitée.

– **Intox** : *Vivendi Universal n'aura jamais accès au cash de l'ensemble de ses métiers*

C'est faux, car si Vivendi Universal n'avait pas la perspective d'accéder au cash de ses métiers, il faudrait à ce moment-là prendre la décision de les arbitrer. C'est déjà le cas pour Vivendi Environnement qui a les moyens de mener sa vie de manière autonome. Demain, dans Cegetel, quand certains partenaires minoritaires, British Telecom et SBC, désireront sortir du capital, Vivendi Universal pourra se donner les moyens de prendre le contrôle complet, avec son partenaire Vodafone, et bénéficier ainsi de l'accès à l'ensemble des résultats et du cash flow générés par Cegetel. Si tel ne devait ou ne pouvait être le cas, comme pour les métiers de l'environnement, Vivendi Universal devrait reconsidérer sa position à long terme dans les métiers des télécoms. Accéder au cash ou, à défaut, céder. Même pour Cegetel. Cette approche a été tout à fait explicite avec mon conseil, comme en témoignent les documents remis aux administrateurs. D'une manière ou d'une autre – ma préférence va clairement à la prise de contrôle et à l'intégration de Cegetel au sein des activités communication du groupe – Vivendi Universal a donc les moyens d'être un groupe très profitable, soit en accédant à son cash flow, soit en se débarrassant de la dette liée aux métiers ne laissant aucun espoir d'accéder au cash flow.

– **Question :** *Était-il normal d'acheter autant de titres d'autocontrôle ? Pour quoi faire ? Cela n'a-t-il pas entraîné la baisse du cours de début 2002 et cela ne pèse-t-il pas inutilement sur la trésorerie ?*

Nous avons, c'est vrai, beaucoup racheté nos propres titres. Parce que cela me paraissait être un choix de gestion positif compte tenu du potentiel du groupe et des acquisitions nécessaires. Cela nous aurait ainsi aidé à payer celles-ci en titres, sans avoir à en créer de nouveaux par voie d'augmentation de capital et éviter ainsi de diluer nos actionnaires. Était-ce légal ? Oui, et à tous les niveaux ! Depuis la loi dite « Esambert » les sociétés françaises peuvent racheter leurs titres à hauteur de 10 % de leur capital, à la condition que l'opération ait reçu le feu vert en assemblée générale. Comme l'ont fait la quasi-totalité des sociétés françaises, nous avons voté, à chaque assemblée, l'autorisation de procéder – par tous moyens – à ces rachats. En indiquant à nos actionnaires quatre priorités d'utilisation par ordre d'importance : le paiement des acquisitions, la couverture des stock-options, la régularisation des cours et, le cas échéant, l'annulation d'actions.

C'était légal au niveau du conseil, ensuite, puisque ce dernier m'a donné – et à moi seul – pleine et entière délégation pour exécuter de tels rachats. On peut certes se poser la question de l'opportunité de ces délégations complètes. Mais rien ne s'y oppose dans la loi. Elles sont le cas général dans les sociétés françaises, malgré les réserves en opportunité de la COB. Légal, enfin, au niveau des autorités de marché : la COB et le Conseil des marchés financiers (CMF) ont reçu tous les mois les déclarations auxquelles nous étions tenus et ils n'ont jamais formulé la moindre observation, ni évoqué la moindre question sur la formation de cet autocontrôle en dehors des dérogations qu'ils ont eux-mêmes données après le 11 septembre 2001.

Alors pourquoi racheter ces titres ? La baisse de notre titre, que je considérais comme excessive, offrait une opportunité, en gestion, d'acquérir de l'autocontrôle au fil de l'eau et de la régularisation de notre cours. Ces rachats, à hauteur de 6,4 milliards d'euros environ depuis la fusion, ont servi aux quatre objectifs principaux de gestion, et en aucune manière, avec une préoccupation spéculative :

1. Constituer un autocontrôle pour nous permettre de payer des acquisitions stratégiques en titres, dans de bonnes conditions d'achat et sans avoir à recourir à une augmentation de capital dilutive pour nos actionnaires. Ainsi, aux États-Unis, par exemple, recevoir des titres est fiscalement plus avantageux que de garder du cash. On peut donc négocier moins cher en titres qu'en cash, ce qui permet au passage de partager l'avantage fiscal entre le vendeur et l'acheteur. Les titres peuvent être créés pour l'occasion, mais ils diluent la valeur de ceux déjà créés (ce fut le cas avec les fusions de Seagram et de Canal+). Et le groupe a clairement dit après cette

double fusion qu'il s'engageait à ne pas créer une seule action nouvelle. On peut aussi les avoir en « stock » pour les remettre au vendeur le moment venu. Nous avons donc utilisé une partie de cet autocontrôle pour l'acquisition de MP3.com ou pour celle d'USA Network en rémunération des titres apportés par un grand investisseur américain, Liberty Media, présidé par John Malone. Un homme réputé pour ne jamais payer un dollar d'impôt dans ses transactions. Sans ces titres, nous n'aurions pu trouver d'accord avec lui. Et sans pour autant lui donner quelque garantie de cours que ce soit... Chacune de ces opérations a bien entendu été expressément validée par le conseil d'administration. L'utilisation des titres pour des acquisitions – ce qui représente environ 2 milliards d'euros – n'a donc pas pesé sur la trésorerie au-delà du cash qu'aurait, en tout état de cause, nécessité ces acquisitions en l'absence de titres disponibles.

2. Remplir nos obligations en matière de stock-options. Le conseil avait décidé qu'elles seraient « non dilutives », c'est-à-dire qu'elles ne passeraient pas par la création de nouvelles actions. Il fallait donc détenir en autocontrôle, par achat direct ou de dérivés, de quoi couvrir l'exercice de ces options futures. Seul l'effondrement du cours, en 2002, provoquera la perte sur des acquisitions antérieures par voie de dérivés. Avec les cours très bas, les options 2002/2003 ne seront sans doute pas exercées. Nous nous étions engagés à acheter des titres à des prix voisins du prix d'exercice (des « puts » en termes techniques). Ainsi que le font de nombreuses entreprises, notamment américaines. Comme nous avons

l'obligation d'acheter des titres devenus inutiles, nous les revendons et enregistrons donc les pertes correspondantes, soit 700 millions d'euros environ au fil des mois. C'est beaucoup. C'est moins, toutefois, que si nous avions acheté au préalable ces actions directement en portefeuille pour couvrir nos obligations. Si les marchés ne s'étaient pas retournés violemment, cela se serait au contraire traduit par un profit... Facile, donc, de critiquer, « après » ! Cette appréciation sur un horizon de plusieurs années des risques est extrêmement difficile. Si vous achetez tout de suite les titres des options futures, vous fabriquez de la dette sur toute la période. Si vous achetez des dérivés et que le marché se retourne, vous prenez un risque de pertes. Si vous attendez l'exercice des options pour acheter les actions correspondantes, au cas où par définition les options sont exercées, c'est que le cours est supérieur à leur prix d'exercice, et c'est alors une perte assurée. Dette, risque ou perte ! Choix délicat qui pose plutôt la question de pouvoir revenir en arrière et de faire accepter par les actionnaires le fait que si les stock-options sont utiles à la motivation des talents et à leurs performances, alors elles doivent correspondre à des créations d'actions nouvelles...

3. Pour conserver ou revendre ces titres dans le cadre de la régularisation de cours et à défaut d'acquisition. C'est le choix de revendre que nous avons fait début 2002, parce que nous étions arrivés au terme de nos acquisitions stratégiques. Nous pouvions donc garder en auto contrôle uniquement ce qui paraissait nécessaire pour la couverture des options.

Parce que les agences de notation avaient aussi changé les règles du jeu et que notre endettement devenait limite pour 2002. À défaut d'autre utilisation stratégique, nous pouvions donc vendre notre « excédent » d'autocontrôle pour réduire la dette. L'autorisation des actionnaires nous imposait un prix de vente minimum de 60 euros. Pas le choix. Il s'est avéré trop juste et dans un placement, il n'y a pas de « demi-succès ». C'est tout noir ou tout blanc. Jamais nous n'aurions anticipé de telles difficultés et leur impact dans les mois qui suivirent. D'autant plus que les précédents placements faits par le groupe, comme la plupart de ces opérations d'ailleurs, n'avaient pas eu d'effet significatif sur le cours après quelques heures. Les banques et leurs équipes de spécialistes étaient prêtes à prendre le risque. C'était leur jugement de marché. Au nom de quoi l'aurions-nous remis en question ? C'est un jugement instantané. Ils avaient dit non le 2 ou 3 janvier. Ils ont dit oui le 7... Nous avons vendu ces 55 millions d'actions pour 3,3 milliards d'euros, sans perte ni gain pour le groupe, à un prix de revient moyen de l'ordre de 60 euros. Pas de conséquence de trésorerie, donc.

4. Pour annuler des titres, enfin et, le cas échéant, comme cela a été fait en décembre 2000, juin 2001 et août 2002 après mon départ (là au moins il y a continuité) pour 57 millions de titres au total. C'est un arbitrage du conseil qui doit décider explicitement chaque annulation, entre trésorerie instantanée et « relution », c'est-à-dire augmentation du poids relatif de l'action dans le capital, et donc de sa

valeur. En effet, moins il y a d'actions dans le capital, conséquence de ces « annulations », et plus leur valeur augmente mécaniquement, toutes choses égales par ailleurs. Toutes les sociétés le font régulièrement. Ces annulations ne pèsent pas de façon « spéculative » ou « inattendue » sur la trésorerie. Elles résultent de décisions et d'arbitrages explicites des conseils.

Au total, notre autocontrôle n'a donc pas, en dehors des *puts*, pesé sur la situation de trésorerie du groupe.

Voilà pour les faits. Il reste néanmoins de vraies questions qui méritent réflexion. La loi Esambert a, en quelque sorte, banalisé le rachat d'autocontrôle. Ne faut-il pas revenir à une conception plus stricte, prévoyant que ce rachat soit accordé par exception et non plus par le biais d'une autorisation large et banale ? Ne faut-il pas limiter ces rachats aux ressources propres et non pas sur la base de ressources d'endettement, sauf accord exprès des actionnaires ? La brutalité récente des mouvements de marché amènera peut-être, et sans doute est-ce souhaitable, à une révision des règles en vigueur.

Question : *Quel est l'enchaînement qui a conduit à la situation de trésorerie de juillet 2002 ?*

D'une certaine manière, l'on pourrait dire que la gestion financière de Vivendi Universal a, par rapport aux marchés extrêmement difficiles et dépressifs actuels, été trop « maline ». Nos équipes ont cherché à bénéficier de l'argent et du financement le moins cher possible, souvent au prix d'une durée de vie de ses dettes très courte.

De ce point de vue, si nous avions pu, à la lumière du 11 septembre 2001, anticiper tout à la fois la poursuite de l'effondrement des marchés en cette année 2002, la crise de confiance de ces mêmes marchés générée par les scandales financiers et de gestion d'Enron, de WorldCom et de beaucoup d'autres, anticiper les campagnes de déstabilisation menées contre le groupe et la défiance que cela a entraîné de la part des investisseurs, alors oui, nous aurions été bien avisés en fin d'année 2001 de lancer une émission obligataire sur les marchés européens de l'ordre de 2 milliards d'euros. Elle était en théorie possible. Elle aurait permis de passer sans encombre cette période difficile, temporaire et provisoire. Mais elle s'est heurtée au retard de paiement de la vente des vins et spiritueux de Seagram. Les banques nous ont demandé d'attendre. Le paiement n'est arrivé que fin décembre 2001. Néanmoins, en ce début d'année 2002, la trésorerie ne constitue pas une préoccupation majeure. La situation paraît sous contrôle. La cession de nos titres d'autocontrôle nous a rapporté 3,3 milliards d'euros ; le programme de désinvestissements, malgré les acquisitions d'USA Network et d'une participation dans EchoStar, doit nous permettre de réduire notre dette d'au moins 4 milliards d'euros sur l'année ; enfin, nous avions conclu en janvier un crédit de 3 milliards d'euros à cinq ans. Il y a toujours la possibilité d'aller sur le marché obligataire pour continuer de refinancer notre dette et d'en allonger la durée, de mener des négociations directes avec les banques ou de réaliser d'autres cessions d'actifs. Bref, bien des voies, bien des options sont ouvertes ou ouvrables pour faire face à nos besoins. Rien d'inéluctable donc. Aucune réunion sur ce sujet ne m'est d'ailleurs demandée. Seul le débat : cession partielle ou totale de Vivendi Environnement anime nos discussions internes.

Nous n'avions prévu ni le déchaînement des rumeurs permanentes contre notre titre, ni les effets désastreux des fraudes et des faillites combinées d'Enron, de WorldCom et d'autres sur la confiance des marchés, ni les spéculations à la baisse sur notre action engagées par des *hedge funds*.

La première alerte va venir des difficultés croissantes du marché obligataire. Nous sommes au mois de mars. Les comptes sont passés. Une opération devient possible. L'idéal pour le groupe serait d'opérer une émission de l'ordre de 2 milliards d'euros. À l'approche de notre assemblée générale, le 24 avril, nous y renonçons pourtant, sans débat interne particulièrement vif. D'autant que nul n'avait alors le sentiment que c'était là une « dernière chance ». Sinon, nous n'aurions pas pris le risque. À l'évidence, le climat « délétère », depuis la démission de Denis Olivennes de la direction générale de Canal+ jusqu'à la révocation de Pierre Lescure, en passant par l'impossibilité d'évoquer la vente de Vivendi Environnement en pleine campagne présidentielle, ne nous incitait pas à nous lancer dans un *road-show*, ce « train » de plusieurs jours, où les dirigeants d'un groupe expliquent leurs performances et leurs perspectives à des dizaines ou des centaines d'investisseurs. Nous pensions, faute de cession totale, qu'au moins après la cession partielle de Vivendi Environnement, un tel placement obligataire s'effectuerait dans de meilleures conditions, le marché ayant obtenu la démonstration de notre volonté de conduire à bien le désendettement.

Les banques partagent ce sentiment. Certaines d'entre elles le confirment encore à la mi-mai puis début juin! Lancer l'émission obligataire dans la foulée de la vente de Vivendi Environnement leur paraît être une bonne solution. Elle ne se fera pourtant jamais. De la même manière, lorsque Moody's dégrade une première fois notre note début mai, dans les nombreux « trains » de l'époque auxquels procèdent les agences de notation, mes équipes considèrent encore que, dans la pire des hypothèses, nous avons une marge à un an supérieure au milliard d'euros.

Nous étions bien loin d'imaginer que, quelques semaines plus tard, la détérioration continue des marchés, de la confiance, et la perspective d'une faillite encore plus importante qu'Enron, celle de WorldCom, elle aussi accompagnée de fraudes massives, allait interdire purement et simplement tout refinancement obligataire, au moins pour quelques mois. La cession partielle de Vivendi Environnement est effective le 25 juin, le même jour que la faillite de WorldCom ruinant aussitôt notre projet d'émission obligataire. Cette émission aurait suffi à éloigner tout risque sur la trésorerie jusqu'en fin d'année et au-delà. Comment dites-vous malédiction dans la langue des affaires ?

– **Question :** *Comment ces sujets sont-ils examinés au sein du groupe ?*

Ils sont tout d'abord évoqués au sein de la direction générale du groupe avec un rôle essentiel du comité exécutif, lieu où tous les avis industriels, sociaux, stratégiques, financiers sont confrontés pour permettre d'aboutir à des décisions d'actions internes ou bien, suivant leur importance, soumises au conseil d'administration. Sur ces questions de trésorerie, par précaution, à l'occasion des comités exécutifs, nous demandons à chaque patron de métier de regarder les cessions d'actifs complémentaires qu'il peut envisager : immobilier, petites activités connexes, *outsourcing*... et de limiter les investissements au strict minimum, aux activités de création. Priorité au cash et au cash flow est le mot d'ordre. Depuis l'automne 2001, ils le savent. Leurs résultats en cash s'améliorent d'ailleurs fortement au début de l'année 2002.

Bien sûr, le directeur financier joue un rôle particulier dans les questions de dette, de trésorerie et d'information financière. Il est, avec le secrétaire général, Jean-François Dubos, responsable de l'information. Guillaume Hannezo a été choisi pour sa capacité à dire « non » et à alerter avec vigueur. Pour sa capacité à défendre avec le dernier acharnement ses points de vue. Il défend son approche « contre » celle des opérationnels avec beaucoup de vivacité, parfois crue, ou volontairement excessive ou provocante...

Cela donne parfois des e-mails ou des mots personnels bien inattendus dans l'entreprise, presque passionnels. Toujours « fleuris » dans le vocabulaire retenu. Un seul exemple. À l'occasion d'une difficulté sur la mise à disposition de notre document de référence avant la dernière assemblée générale, je reçois un mail intitulé : « Halte au feu, merci d'arrêter les conneries » mettant en cause les équipes communication. Cinq e-mails et douze heures plus tard, le problème est éclairci et réglé. Simplement, en ayant amené les équipes à se parler entre elles pour partager *in fine* une analyse commune et la mettre en œuvre. Il en est ainsi à chaque fois.

La même – à peine nuancée – liberté d'expression régnait aux comités exécutifs où Guillaume Hannezo exprimait ses points de vue. Quelle signification ? Une grande conscience professionnelle d'abord et un haut sens de ses responsabilités. Une totale liberté réciproque ensuite. J'acceptais de sa part ses excès « e-mailistiques », car, dès que l'on revenait au cœur des faits, le professionnalisme l'emportait ; sachant qu'il serait parti sans hésitation s'il avait eu le sentiment que ses alertes tombaient dans le vide. Enfin, ces « sorties », suivies ou entrecoupées d'autres – tout aussi excessivement amicales ou positives –, étaient toujours un point de départ conduisant à des décisions et des actions permettant d'intégrer – en tout ou partie – ses remarques et préoccupations. Aucune de ces alertes n'est restée sans réponse ou sans suite. Parfois pessimistes ou basées sur de mauvaises hypothèses, parfois frappées au coin de la raison et du bon sens, elles ont toujours conduit à des inflexions et à des actions. Le rôle de Guillaume était d'envisager en permanence toutes les hypothèses, tous les scenarii, même les plus invraisemblables et d'aider aux choix qui se présentaient. Car à la taille d'un groupe comme VU, il s'agit rarement d'une décision « oui/non », mais le plus souvent de choix multiples, d'options multiples, d'arbres de décisions très complexes.

– **Question** : *Et quel rôle pour le conseil d'administration ?*

Le conseil, ce sont d'abord ses comités, notamment celui des comptes, présidé par Marc Viénot. La règle est que je n'y assiste jamais. Pour que le comité, qui a un accès plein aux équipes financières, aux auditeurs, se sente libre vis-à-vis de moi. Pour que les équipes, les auditeurs aussi se sentent libres et à même d'évoquer toute préoccupation éventuelle sans « tutelle ».

2001, année 1 de Vivendi Universal. Une triple fusion, le changement de normes comptables (des françaises aux américaines), la préparation à des résultats trimestriels ; la prise en compte d'éléments jamais donnés auparavant comme le cash flow par métier... le travail n'a pas manqué. Mon sentiment est que le comité des comptes, tout comme le groupe, a constamment et progressivement amélioré, affiné son travail – en toute liberté.

Réuni quelques fois par an, son rôle ne peut naturellement pas être de se substituer à la direction générale, de suivre des sujets mouvants tous les jours ou toutes les semaines comme les prévisions de trésorerie – sauf souci particulier comme cela sera fait au printemps 2002 –, ni de rentrer dans toutes les hypothèses travaillées par la direction générale au jour le jour constamment abandonnées, amodiées, bousculées... Il doit pouvoir travailler sur une synthèse sincère des principales données et évolutions du groupe, préparée par la direction financière et les auditeurs, pour chacune de ses réunions. Analyser, interroger, demander des compléments... et rendre compte au conseil, ce que Marc Viénot fait, après chaque réunion, en lisant un rapport détaillé de plusieurs pages.

Le conseil lui-même était aussi très actif, en tout cas au regard des habitudes françaises et européennes. Sur cette période, il s'est réuni plus de dix fois pour des réunions longues de trois à huit heures. Il s'en dit des choses durant de telles réunions! Il s'en pose des questions! Chaque décision importante est introduite par une présentation détaillée, souvent en présence des responsables des métiers concernés, et suivie d'une longue séance de questions-réponses. La quasi-totalité des administrateurs sont ou ont été présidents de groupes importants. Ce n'est donc pas (comme on l'a vu!) un conseil de « béni oui-oui » ou inexpérimenté. Ce sont des conseils denses, stimulants où l'avis individuel est recueilli – pas seulement sous la forme d'un vote – pour les décisions majeures. Bien évidemment, on ne peut en révéler le contenu. Mais prenons un exemple néanmoins, sur ces questions de trésorerie.

Le 29 mai, à New York, se tient un conseil dans la salle aménagée au siège de Seagram, situé dans l'un des plus beaux immeubles de Manhattan, 375 Park Avenue, à la hauteur de la 52ᵉ rue. C'est l'un des rares gratte-ciel new-yorkais doté d'un parvis. Son architecture audacieuse reste un exemple. Débutent les habituelles élucubrations de Minzberg. Ce jour-là, il faudra attendre trois heures ainsi que la réaffirmation individuelle du soutien de chaque administrateur européen avant de pouvoir véritablement engager l'agenda. Nous passons ensuite quatre heures sur la trésorerie scrutée dans ses moindres détails à travers la présentation de Guillaume Hannezo.

Comme le souhaitait Edgar Bronfman, il est décidé qu'un petit groupe de quatre administrateurs, avec Marc Viénot, Jacques Friedmann et Marie-José Kravis, poursuive l'analyse avec l'aide d'une équipe extérieure, Goldman Sachs, qui nous conseille depuis 2001 pour les relations avec les agences de notation, et avec le plein accès à nos équipes. Le résultat de leur analyse est présenté le 25 juin au conseil. Il souligne la perspective d'une tension d'ici la fin de l'année (dans certains cas de figure), présente une série de scénarios catastrophe (ce qui ne veut pas dire qu'ils sont jugés vraisemblables), et fait des recommandations pour éviter que ne se produise un effet domino.

Dans les marchés actuels, et après le report de l'émission obligataire et de certaines cessions d'actifs, il faut bien sûr se bouger pour couvrir les scénarios « noirs » ; mais aucun risque immédiat de dégradation des agences de *rating* ni aucun risque de liquidité immédiat n'est jugé vraisemblable par eux. Le conseil adopte donc un communiqué, court mais précis, faisant le point sur la situation de trésorerie, nos disponibilités, et les lignes de crédit non tirées. Il évoque la perspective d'une émission obligataire destinée à sécuriser les échéances à douze mois. Un communiqué encore plus détaillé, issu de nos services, précise tout cela point par point. Il est transmis au service de communication pour diffusion le 25 au soir. Il sera envoyé le 26 au matin.

Nous mettons enfin en place le principe d'une réunion téléphonique tous les quinze jours, avec les analystes, pour répondre à toutes leurs questions et permettre ainsi le retour de la confiance. La première se déroule le 27 juin. Plutôt bien dans le climat.

— **Info :** *C'est fin juin, début juillet que tout se précipite.*

Oui, c'est à partir de là que va se déclencher la spirale infernale dans un contexte de marchés totalement déboussolés. Le 28 juin, les négociations avec la banque Barclays pour renouveler l'un de ses prêts échouent. Dommage, même si nous n'osions pas totalement compter dessus. C'est surtout une banque allemande, la BLB (Bayerische Landes Bank), qui va déclencher le 1er juillet une crise de confiance ; celle-ci se propagera aussitôt auprès de l'ensemble des banques. Contre toute attente, la BLB refuse d'honorer une ligne de crédit de 1 milliard d'euros qu'elle nous avait pourtant consentie. Elle vient tout juste de perdre l'équivalent de plusieurs fois ce montant dans la faillite du groupe Kirch... Coup de tonnerre redoutable. Rien ne laissait prévoir une telle attitude. Ni nos équipes, ni Goldman Sachs, ni le groupe d'administrateurs, ni moi, n'avions anticipé une telle position.

En fait, quand apparaît un risque, les banques ne veulent pas être les dernières à prêter aux conditions précédentes, mais elles veulent bien être les premières à prêter à des taux plus élevés !

Dans la foulée, Moody's dégrade notre note. Les banques françaises refusent de discuter d'un financement complémentaire sans garanties. Commence alors une situation où l'impensable devient possible. Un tel blocage, s'il se prolongeait, pourrait automatiquement mettre le groupe en difficulté à court terme, à l'automne, malgré la solidité des actifs.

Les principaux banquiers, notamment Daniel Bouton, le président de la Société Générale, montent au créneau. Le 7 juillet, Daniel Bouton soulignera, dans une interview au *Journal du Dimanche*, la solidité du groupe et le fait que la valeur d'actifs reste largement supérieure aux dettes. Michel Pébereau, le patron de BNP Paribas, le fera à son tour peu après. Mais le problème demeure : les marchés obligataires se sont fermés, les marchés d'actions sont dépressifs, la BLB n'a pas tenu ses engagements. Bref, il faut très vite sécuriser avec des crédits de remplacement.

L'exercice est devenu difficile. Chacun en rajoute dans la dramatisation, aggravant le cercle vicieux, les uns pour justifier des interventions, comme Claude Bébéar dans une interview à *Business Week*, les autres pour profiter de leur position de force, comme l'ont fait les banques commerciales.

Avant la mi-juillet, un crédit de 1 milliard d'euros, se substituant à la BLB, est finalement conclu. Cruelle ironie... Il était censé sécuriser la situation d'ici mi-août, mais le groupe n'en utilisera pas le premier euro durant ces semaines d'été.

– **Questions :** *Y a-t-il eu dramatisation excessive ?*

Pourquoi ne pas laisser parler l'expert commis par les instances sociales du groupe (Comité de groupe et instance européenne) dans son rapport de fin septembre : « En fait, le milliard d'euros du 10 juillet a été tiré fin août, ce mois-là se terminant avec une trésorerie de 1,2 milliard. Ainsi, se situant dans le contexte de juillet... on voudra bien convenir que parler de cessation de paiement dramatisait une situation déjà suffisamment tendue sans cela.. À ce moment-là, les agences de notation et l'effroi bancaire avaient déjà produit le pire de leurs effets, il aurait sans doute été utile de calmer le jeu... »

Fin septembre, une ligne supplémentaire de 2 milliards d'euros sera même mise en place, soit 3 milliards d'euros au total, faisant s'évanouir les affres de la crise de liquidité. De la même manière, BNP et SG se précipiteront pour dire que VU est sain et qu'il n'est nul besoin pour elles de provisionner leurs comptes sur le groupe. Et le groupe pourra dire, en moins de trois mois, fin septembre et dans des marchés catastrophiques : « l'essentiel de la crise est derrière nous ». Démonstration par les faits du caractère court terme de la tension de trésorerie.

Question : *Quelles leçons peut-on tirer de cet épisode ?*

Il souligne, sans rien enlever au fait que la gestion de la dette et de la trésorerie était trop « agressive » dans ce contexte de marchés retournés et déprimés, deux choses :

– La première, c'est qu'en matière de trésorerie les problèmes de liquidité n'ont pas besoin d'être avérés. Il peut simplement y avoir, avec des conséquences potentiellement aussi graves, un risque de crise. Ou même, pour les agences de notation et les banques, anticipation de l'éventualité d'un risque. « L'annonce de l'anticipation de l'éventualité d'un risque » devient un drame ! La seule perspective de cette hypothèse finit par créer le problème. La conjonction de la dégradation des notations par les agences et du rapport de force alors installé par les banques commerciales peut conduire à une crise réelle, y compris pour des entreprises dotées d'actifs solides largement supérieurs aux dettes. En somme, et parce que l'on craint

« l'éventualité d'un risque », on peut ainsi envoyer au tapis une entreprise alors que rien, objectivement, ne le justifie.

– La seconde, c'est que les banques commerciales, celles qui prêtent de l'argent, se retrouvent aujourd'hui en position de force. C'est un phénomène nouveau. Au cours des dernières décennies, on peut dire, en caricaturant, que l'on a connu quatre périodes de crédit distinctes. D'abord, l'existence d'un marché non régulé : crédit assez cher, mais néanmoins assez disponible. Puis le marché régulé, avec les règles « d'encadrement » du crédit : crédit plutôt cher et plutôt rare. Ensuite, la désintermédiation avec la suppression des règles d'encadrement et l'explosion des marchés obligataires, de billets de trésorerie... : le crédit devient alors abondant, pas très cher, mais les entreprises n'y avaient cependant plus recours car les marchés des capitaux et des financements désintermédiés leur offraient une souplesse maximale. Aujourd'hui s'ouvre une quatrième phase, celle de la réintermédiation, du retour en force des banques. Les agences de notation, par peur d'être prises en défaut, déclassent à toute allure et par anticipation la note de nombreuses entreprises, les ramenant sous « le niveau d'investisseur reconnu » (*investment grade*) leur supprimant *de facto* l'accès aux marchés. Ce mouvement a pris une telle ampleur, que les agences sont en train de tuer les marchés et qu'elles favorisent, du même coup, un phénomène de réintermédiation, c'est-à-dire la reconquête du pouvoir par les banques commerciales. Les agences de notation, castratrices du capitalisme ? Dans une certaine mesure, oui, comme tout excès de précaution peut parfois conduire au drame, à l'étouffement.

Dans cette phase, le crédit reste généralement assez peu cher au départ, mais son prix est augmenté par la très rapide augmentation des marges perçues par les banques.

Le credo est donc : « Si nous devenons le seul moyen qu'ont les entreprises pour se financer, alors nous pouvons augmenter nos marges. » Paradoxalement, le crédit devient alors assez rare, les banques étant à la fois frileuses devant la crise des marchés – subissant elles-mêmes l'abaissement de leur propre note, un cercle vicieux – et décidées à obtenir nombre de contreparties. Même hors crédit. Combien de banques ont exigé pour participer à de nouveaux prêts (pour Vivendi Universal ou pour d'autres) d'obtenir non seulement des marges gonflées mais, par ailleurs, des mandats très rémunérateurs de banquiers d'affaires pour vendre tel ou tel actif ?

Ce mouvement, bien réel, se situe quelque part entre l'abus de position de force et le vieil adage : « Les banquiers ne prêtent qu'aux entreprises qui n'en ont pas besoin ! »...

– **Intox** : *Cette crise de l'été 2002 signerait l'échec de la stratégie de Vivendi Universal.*

Non, cette interprétation n'a pas de sens. Vivendi Universal a tenu à ce jour tous ses objectifs opérationnels, toutes les performances dans chacun de ses métiers. La valeur de ses actifs, je le répète, dépasse très largement la valeur des dettes. Cette crise sera donc, j'en suis convaincu, traversée sans drame supplémentaire. Le retour au calme des marchés, les performances tenues dans la durée et les choix stratégiques permettront de restaurer la valeur de l'action, après cette alerte particulièrement chaude.

– **Intox** : *Vivendi Universal aurait frôlé la cessation de paiements dès la fin de l'année 2001.*

Cette information parue à la Une du *Monde* a très largement contribué à la multiplication des rumeurs, à la méfiance croissante d'un certain nombre d'investisseurs ou de banquiers et à l'accélération de la difficulté court terme que nous venons d'évoquer. Elle est totalement fausse. Elle a jeté non seulement le doute dans l'esprit de nombre d'investisseurs et d'acteurs de marchés, mais également parmi nos employés. Chacun s'est demandé si son emploi, son salaire n'était pas menacé.

Qu'en est-il vraiment ? Vivendi Universal aurait frôlé la cessation de paiements en fin d'année 2001, à la manière d'une comète frôlant la Terre à... quelques dizaines ou centaines de millions de kilomètres ! En effet, la journée la plus difficile de l'exercice 2001, le 30 septembre, quelques semaines après les attentats du World Trade Center à New York, la situation des ressources disponibles et non tirées auprès des banques du groupe dépassait les 3 milliards d'euros. Fin 2001, le groupe a donc frôlé la cessation de paiements à plus de 3 milliards d'euros près... Affirmation inconséquente et irresponsable. Qui relève de l'intox et certainement pas du devoir d'information.

– **Info** : *Tout de même, des dépréciations d'actifs ayant conduit à une perte de 13 milliards d'euros ont été nécessaires en 2001.*

Oui. Des dépréciations d'actifs représentant plus de 15 milliards d'euros et aboutissant à la perte historique (13 milliards d'euros) annoncée pour l'exercice 2001 ont bien été passées dans les comptes de l'entreprise. Elle l'ont été en normes françaises pour l'année 2001 et en normes américaines, conformément aux nouvelles modalités d'application des règles américaines. Elles l'exigeaient pour les comptes semestriels 2002. J'ai décidé, par souci de transparence, de l'anticiper aux comptes américains du premier trimestre – car ils étaient nos premiers comptes « USA gaap » et, tant qu'à faire, aussi aux comptes français dès 2001.

Les dépréciations de survaleur sur les acquisitions faites par le groupe ces dernières années ont ainsi été actées. Elles correspondent bien à une baisse de la valeur de ces actifs, donc de la valeur patrimoniale de nos actionnaires.

Ces dépréciations d'actifs ne font que traduire de manière comptable, par une charge comptable et non pas en cash, la baisse que les marchés ont infligée à toutes les actions, à tous les métiers de ces secteurs d'activité. Une société n'ayant pas procédé à des acquisitions récentes n'est pas obligée de procéder à de telles dépréciations d'actifs. Néanmoins, sa capitalisation boursière, sa valeur pour les actionnaires, a bien diminué en parallèle avec la baisse du titre.

Pour autant, ces acquisitions ont-elles été payées trop cher? Pour celles qui l'ont été en cash et compte tenu des marchés actuels, la réponse est oui. L'acquisition du contrôle de Maroc Telecom, de mp3.com ou peut-être d'Houghton Mifflin pourrait aujourd'hui être réalisée dans de meilleures conditions... C'est indéniable. Mais, s'agissant de l'essentiel des acquisitions faites par le groupe, payées en titres, c'est le ratio d'échange qui compte. Beaucoup de ces acquisitions ont été financées en titres Vivendi Universal. Nos titres étaient, au moment de ces acquisitions (je pense en particulier à l'achat de Sea-gram), bien valorisés par le marché et même plutôt mieux valorisés par le marché que ceux de nos pairs. De ce point de vue-là, l'analyse produite par les professionnels du marché – et qui témoigne que la valeur de l'action Vivendi serait aujourd'hui encore inférieure si ces acquisitions n'avaient pas été réalisées – montre que ces acquisitions d'actifs ont été faites de manière plutôt raisonnable pour les actionnaires de Vivendi Universal. C'est certainement le cas pour Seagram. Ça l'est sans doute beaucoup moins pour Canal+, tant sa valorisation en juin 2000 reflétait de manière outrancière les effets de la bulle « internet et des nouvelles technologies » sur les marchés.

Quoi qu'il en soit, s'il est indéniable qu'une dépréciation de survaleur traduit un appauvrissement de l'actionnaire puisqu'elle restitue au nouveau prix du marché une acquisition antérieure, la situation est tout de même différente selon que cette acquisition a été payée en cash ou en titres. En cash, c'est la constatation d'une perte définitive, effective, immédiate. En titres, c'est aussi la constatation d'une baisse de marché, mais l'impact à long terme dépend de la qualité du ratio d'échange avec la société acquise. Or c'est au niveau de ce ratio d'échange que l'on peut juger si la dilution proportionnelle, relative, imposée aux actionnaires fut excessive ou pas. En somme, entre cash et titres, le facteur temps n'est pas le même. Son caractère définitif non plus. Vivendi Universal a effectué l'essentiel de ses acquisitions en titres, à la différence d'autres entreprises... C'est une grande différence !

— **Intox** : *D'autres dépréciations seraient nécessaires ou ces dépréciations ont été insuffisantes.*

La réglementation américaine impose de procéder régulièrement à la vérification de ces dépréciations d'actifs. Je sais que Vivendi Universal s'y conformera. Et si les marchés continuaient à s'effondrer, ce qu'à Dieu ne plaise, la traduction mécanique devrait naturellement être faite.

Elle le fut à nouveau, au cours de l'été 2002, à cause du fort recul du marché. Le travail effectué pour évaluer ces dépréciations d'actifs le fut dès le début 2002 avec la rigueur et le sérieux qu'il convient. Il a fait l'objet d'évaluations par nos deux auditeurs habituels, conformément à la loi française. En outre, il a été étudié pour la partie américaine par un troisième auditeur. L'ensemble de ces travaux montre que les dépréciations d'actifs ont été effectuées à des niveaux corrects, dans les fourchettes correspondant à ces différentes évaluations.

Soyons plus précis encore. Pas moins de quatre auditeurs ont travaillé sur ces amortissements de survaleur dits *impairment tests* : nos auditeurs Salustro et Arthur Andersen, plus deux auditeurs extérieurs : Ernst & Young (avant le rachat d'Andersen) et le cabinet Ricol. Leur jugement a été respecté et leurs méthodes acceptées, larges en normes françaises, très précises, et détaillées en normes américaines.

Toute nouvelle charge qui ne refléterait pas de nouveaux éléments objectifs de marché serait singulièrement sujette à caution et s'assimilerait à un comportement du type : « Je profite du changement d'équipe pour me constituer une réserve de profits futurs, par reprise de ces provisions. »

Au total, quand tous les auditeurs de la planète auront successivement travaillé sur ce sujet, que fera-t-on ? Est-ce le meilleur moyen de rétablir la confiance ?

– **Intox** : *Vivendi Universal, c'est comme Enron ou WorldCom : il doit bien y avoir des fraudes cachées comme des engagements non déclarés, ou des manipulations douteuses.*

Non, non et non. Les amalgames sont trop faciles. En l'occurrence, ils sont irresponsables. Irresponsables vis-à-vis des actionnaires de Vivendi Universal. Irresponsables vis-à-vis des équipes. Criminels vis-à-vis de l'intégrité de l'équipe dirigeante de Vivendi Universal. Nous avons sûrement commis des erreurs dans les choix de gestion. Qui n'en commet pas ? La gestion, même bien informée, n'est pas une science exacte. C'est un risque ! Peut-être n'avons-nous pas correctement su expliquer la complexité du groupe, la complexité et l'étendue de ses engagements, notamment au moment du changement des normes comptables, lors de la présentation des comptes 2001 au début du mois de mars 2002. Même si telle n'était pas notre impression, il faut reconnaître que le marché n'a pas bien perçu la transparence totale et immédiate de ces opérations à l'occasion du changement de normes comptables. Peut-être qu'une telle complexité et la trans-mission d'informations successives ont pu contribuer à ce sentiment général. Le climat de défiance totale des mar-chés est devenu en lui-même un handicap. Si c'est gros, si c'est complexe, alors c'est qu' « *ils ont la possibilité de nous cacher des choses [...]* » et que « *la somme de risques moyens devient sûrement significative par rapport au groupe [...]* » « *Qu'en savons-nous ? Comment pouvons-nous en être sûr ?* »

Réaffirmons-le. Nous avons certainement notre part de responsabilité dans la difficulté qu'a eue le marché à appréhender Vivendi Universal, la réalité de ses comptes et de ses performances. Nous n'avons pas su stopper un certain nombre de rumeurs infondées. Ça s'arrête là. Il n'y a pas de hors-bilan caché chez Vivendi Universal. Tout ce qui a un sens pour l'entreprise est public : les engagements pris avant nous par Seagram sur le rachat d'une société de musique Rondor (coût de 250 millions de dollars) ou par nous sur Maroc Telecom (pour en assurer le contrôle, coût potentiel de 700 millions de dollars) ou encore pour racheter nos propres titres en vue de couvrir les stock-options. L'ironie, c'est que nous avons nous-mêmes défait des montages complexes qu'avait réalisés antérieurement Seagram, pour financer des films (notamment *Galaxy*). Car pour permettre un vrai-faux désendettement, leur coût financier était prohibitif. Nous nous sommes imposé la règle suivante : « Pas de dépenses cash pour des avantages comptables. » Or c'est sur nous que la rumeur a couru...

Non, en aucune manière, et jamais Vivendi Universal ne s'est livré à des fraudes sur le chiffre d'affaires, sur ses impôts, sur des services croisés avec des tiers. Non, il n'y a pas d'engagements cachés ou qui auraient été omis. Que faire lorsque, après deux ou trois démentis successifs, des rumeurs reviennent ? Comme, par exemple, l'existence de promesses cachées à Barry Diller ou John Malone lors du rachat des chaînes de télévision américaines d'USA Network qui auraient prétendument bénéficié de stock-options ou de garanties de cours. Non, il n'y en a eu aucune.

Il est difficile d'imaginer la frustration, la rage que l'on peut ressentir en face de tels amalgames, de telles accusations, de telles rumeurs, lancées, relancées et toujours relayées de manière soi-disant crédible par tel ou tel média. Que faire ? Si l'on ne fait rien, les amalgames s'amplifient. Ils peuvent tuer des sociétés. De telles accusations peuvent déstabiliser totalement des équipes de direction dont la vocation est de gérer le groupe et ses métiers au quotidien et non de répondre de manière incessante à ces rumeurs. De telles accusations peuvent ruiner la réputation, l'honorabilité de personnes qui ne le méritent pas.

Elles peuvent ébranler, voire parfois tuer, certains groupes, et à tort.

L'un des amalgames les plus dangereux – dont Vivendi Universal a beaucoup souffert – est celui né des affaires Enron et WorldCom. Sociétés en croissance forte (interne ou par acquisition) + sociétés complexes = présomption de fraudes. De tels jugements primaires sont éminemment néfastes. La responsabilité de ceux qui, en France, évoqueront à propos de Vivendi Universal un risque « d'Enron bis » est immense vis-à-vis du groupe, de ses salariés et de la place de Paris! Les excès sont condamnables et ils doivent être condamnés. Mais quand je dis excès, je veux dire fraudes, manipulations, dissimulations. Tel n'a jamais été le cas de Vivendi Universal. Je laisse la parole au nouveau directeur financier à l'occasion du conseil du 25 septembre 2002 : « Je peux dire formellement que je n'ai rien trouvé et que l'on ne m'a pas apporté le moindre élément amenant à considérer qu'une irrégularité comptable ou personnelle ait pu être commise ou qu'une mauvaise présentation intentionnelle ait pu être faite. Les comptes sont sincères et reflètent honnêtement la situation de l'entreprise. » On a démoli Vivendi Universal, on s'est livré à la curée sur de prétendues fraudes ou manipulations. Et c'est faux.

Il n'y eut ni fraude de la personne morale (la société), ni fraude des personnes physiques (ses dirigeants). C'est un problème de dettes et non de fraude. Les amalgames ont été dévastateurs.

— **Intox** : *Les métiers de médias, ce sont des métiers américains et qui ne gagnent pas d'argent.*

Ce trait sommaire, caricatural, si souvent entendu, en tout cas en France, ne recouvre aucune réalité. Dans les métiers de médias, notre premier marché reste l'Europe, devant le marché américain. La musique est une activité soi-disant américaine, mais son chiffre d'affaires en Europe est plus important qu'aux États-Unis ! Le cinéma est censé être estampillé « tout Hollywood » mais, aujourd'hui, près de 30 % de son chiffre d'affaires – grâce notamment au développement des DVD – est réalisé en Europe, et plus de 10 % en Asie. Ces métiers, certains les croient non rentables. Ils ont tort : les marges d'exploitation dans les métiers de l'éducation, des jeux, de la musique approchent les 20 %. Un taux bien supérieur aux métiers de l'environnement. Et près des deux tiers de leurs résultats d'exploitation se retrouvent sous forme de cash flow disponible pour croître et rétribuer les actionnaires (après avoir financé les investissements nécessaires de ces métiers). En outre, les activités liées au cinéma et à la télévision (à l'exception de Canal+), sont devenus rentables et dégagent un cash flow net positif. Voilà la réalité des résultats, des performances de Vivendi Universal. Aux antipodes des « on-dit ».

– **Info** : *Vivendi Universal, malgré les rumeurs et la crise passagère de l'été 2002, est solide et le cours de l'action finira par remonter.*

Oui. Parce que la crise financière actuelle est non seulement de court terme mais qu'elle est soluble. La valeur des actifs de Vivendi Universal est très largement supérieure à la dette. La poursuite d'une gestion active, du désinvestissement des actifs non stratégiques, accompagnée de quelques arbitrages majeurs, au premier rang desquels la cession des métiers de l'environnement, suffirait aisément à conforter la solidité long terme, durable, de ce groupe.

On ne soulignera jamais assez la force des métiers, des équipes, des parts de marché et des performances opérationnelles. Non seulement Vivendi Universal n'a pas à rougir, mais ses équipes peuvent être fières de leurs performances. Qu'il s'agisse des télécoms, de Cegetel, ou des métiers de contenu, de la musique, de l'édition, de l'éducation, des jeux, du cinéma, de la télévision, nous avons gagné des parts de marché. Même dans les conditions économiques difficiles, même dans les périodes de risque traversées par certains de nos métiers en raison du piratage notamment, nous continuons à croître, à gagner des parts de marché, parce que nos équipes en veulent, qu'elles sont créatives, qu'elles attirent et qu'elles retiennent les meilleurs talents.

Dans chacun de nos métiers, à la seule exception de Canal+, nous avons les meilleures marges parmi l'ensemble de nos compétiteurs, ou nous sommes en tout cas systématiquement dans le peloton de tête. Est-ce un hasard ? Non, c'est parce que ces équipes se sentent bien chez Vivendi Universal, qu'elles sont motivées, qu'elles y trouvent le soutien, les appuis, les occasions complémentaires qui leur permettent de gagner plus et plus vite que les autres. Ces résultats opérationnels sont-ils quantité négligeable ? Non, ils sont la vraie richesse de demain. Ils sont déterminants pour accroître la valeur des actifs du groupe, pour pouvoir rémunérer sur le plan patrimonial nos actionnaires, pour pouvoir financer la croissance en tête du peloton.

Le marché finira par reconnaître ces formidables atouts. Si la nouvelle équipe réussit, je ne regretterais pas d'avoir laissé Vivendi Universal poursuivre sa route sans moi. S'il est une chose dont je suis convaincu, c'est bien que les équipes qui me succéderont découvriront et sauront dire que Vivendi Universal, c'est du solide, que ce sont de formidables équipes pleines de talent dans chacun de nos métiers qui gèrent leurs activités mieux que ne le font leurs concurrents. Aucun média, aucune rumeur, ne sera capable de gommer cette force. C'est ce qui me rend confiant dans l'avenir de Vivendi Universal, dans la remontée inévitable du prix de l'action.

– **Question** : *Aurais-je pu rester à la tête de Vivendi Universal ?*

Je l'aurais souhaité pour laisser à notre stratégie le temps de montrer sa validité, pour permettre à nos équipes de poursuivre sereinement leurs performances opérationnelles.

Je l'aurais souhaité parce que la difficulté ne m'effraie pas, qu'en cas de tempête le capitaine préfère rester à bord pour tenir la barre. Je l'aurais souhaité par passion, par enthousiasme, par conviction, par amour des métiers et des hommes. Rien de ce qui permet de régler la crise de court terme n'était hors de notre portée.

Inutile, néanmoins, de revenir en arrière. La décision a été prise. Il n'y a pas dans ce domaine de « restauration », mais j'ai une conviction : l'avenir rendra à Vivendi Universal, à ses équipes et accessoirement à moi-même ce qui leur revient d'ambition, de vision, de réussite.

Chapitre X
Mes erreurs

> « C'est le fait d'être ignorant, d'accuser les autres de ses propres échecs ; celui qui a commencé de s'instruire s'en accuse soi-même ; celui qui est instruit n'en accuse ni autrui ni soi-même. »
>
> Epictète, *Manuel*

Bien sûr il y a eu des erreurs.

Il en existe dans tout choix de gestion. Je les assume. Les victoires, c'est bien connu, sont toujours collectives et les défaites orphelines. Je dirai donc : mes erreurs et nos succès !

On ne transforme pas de manière aussi radicale, aussi rapide, un groupe de la taille de Vivendi Universal sans commettre des erreurs. Et dans des marchés et des économies aussi changeantes, aussi versatiles qu'aujourd'hui, rien n'est plus facile que de s'apercevoir des erreurs... *a posteriori* !

Qui aurait pu croire que des secteurs boursiers aussi essentiels pour l'avenir que les technologies, les médias, les télécommunications pourraient voir leur valeur amputée des trois quarts en deux ans, détruisant ainsi des milliers de milliards de dollars ou d'euros ? Qui aurait pu imaginer un événement aussi effroyable que le 11 septembre 2001 ? Qui aurait pu anticiper les scandales Enron ou World Com et la crise de confiance qui s'en est suivie ? Les mêmes causes et analyses produisent les mêmes effets, quelles que soient les personnalités aux commandes des entreprises, quel que soit le statut de ces dernières (privées ou publiques), quels que soient les pays. L'effondrement est général, qu'il s'agisse d'AOL, Nortel, Yahoo, Bertelsmann, France Telecom, Deutsche Telekom, BT, KPN, Alcatel, Thomson MultiMedia, Cap Gemini, EDS et tant d'autres. Qui a trouvé, à l'époque, à redire sur les niveaux de valorisation ? Qui porte la responsabilité réelle de l'effondrement des marchés ? Combien de temps encore durera ce marasme industriel et ses excès ?

Il est facile, après coup, de dire et si, et si, et si. Néanmoins, il me faut admettre avoir commis des erreurs.

1. « Céder l'environnement »

Ma première erreur est certainement de ne pas avoir opéré plus vite et plus radicalement la séparation définitive entre Vivendi Environnement et Vivendi Universal. Comme je l'ai dit, cette séparation était inscrite dans l'ambition même de Vivendi Universal, de faire à partir d'un champion français deux champions mondiaux. L'un des médias, l'autre des métiers de services et de l'environnement, et pas un et demi, en maintenant un lien artificiel, et surtout inutilement prolongé. Cette séparation est revendiquée, sans doute à juste titre, par les marchés qui se méfient des conglomérats. Churchill affirmait : « Il ne suffit pas toujours de donner le meilleur de soi-même ; il faut parfois faire ce que l'on attend de vous. »

On peut s'interroger, du fait de la progression des nouvelles technologies, sur l'ampleur et l'intimité des liens qui existeront demain entre les activités de télécommunications et les autres activités de médias. Aucune synergie n'est, en revanche, à attendre entre environnement et médias, ou entre environnement et télécoms. Maintenir les uns et les autres au sein d'un même groupe est artificiel et donc forcément temporaire si l'on recherche la meilleure valorisation pour l'actionnaire. Un mouvement, une transformation, sont faits pour aller à leur terme. Nous sommes restés trop longtemps « au milieu du gué ».

Pourquoi donc ne pas l'avoir fait ni même dit plus tôt, pendant qu'il en était encore temps ? Parce que ces métiers portaient historiquement l'empreinte du groupe. Mais cela ne suffit pas à justifier cette non-décision. J'ai certainement été trop sensible à l'environnement politique, et à son opposition, relayée par l'establishment, à ce que Vivendi Environnement puisse poursuivre sa voie seule. J'ai été trop sensible également à la pression du conseil et de ses administrateurs dont beaucoup étaient déjà présents lors du développement de la Générale des Eaux. Des administrateurs qui, parfois, ne connaissant que ces métiers, témoignaient pour ceux-ci un attachement très fort, que je partage, mais qui n'était plus dans le meilleur intérêt de Vivendi Universal et de ses actionnaires. J'aurais pu envisager cette séparation totale dès le début de l'année 2001, au lendemain de la fusion. Cela aurait clarifié les objectifs, les ambitions du groupe, mais aussi simplifié les conflits de culture. En effet, au gouffre existant déjà entre la culture des métiers de services à l'environnement – métiers de l'humilité – et ceux de la communication et des médias – métiers de créateurs ou de « stars » – s'est très vite ajouté, après la fusion, le choc entre deux cultures, française et américaine, exacerbant cette différence.

J'étais surtout préoccupé par l'intégration des métiers de média, qu'il fallait évidemment réussir afin de ne pas laisser nos nouvelles équipes américaines sans repère. Ensuite, nous devions d'urgence conforter nos positions américaines, dans l'éducation pour les contenus, mais aussi dans la télévision. Il s'agit en effet d'une activité où l'intégration est forte, tant au niveau de la production et des « franchises » avec le cinéma, que de la distribution. Je craignais par ailleurs qu'une cession rapide de l'environnement, après la fusion avec Seagram, ne soit perçue comme une « trahison », un « abandon des intérêts français », une « américanisation » totale du groupe avec le cortège de difficultés politiques et sociales que cela aurait entraîné.

Je pensais avoir le temps. Je m'étais dit qu' « après tout », vers la fin 2002, vendre l'environnement et prendre au même moment le contrôle complet de Cegetel serait perçu positivement ; comme un arbitrage effectué entre deux intérêts français (sortie de l'un, contrôle complet de l'autre) et comme une mesure prise dans l'intérêt de nos actionnaires. Pour une fois que je voulais donner du temps au temps... j'ai été pris complètement à contre-pied par la dégradation des marchés, par les politiques français, par mes administrateurs et par un certain nombre de « résistances » en interne qui ont utilisé ce délai pour appuyer de toutes leurs forces sur le frein.

Puis, au début de cette année 2002, j'ai à nouveau considéré sérieusement la cession des métiers de l'environnement sur le marché, accompagnée éventuellement d'une entrée au capital d'un ou plusieurs partenaires industriels français. Avant d'en parler publiquement, j'ai procédé à un test « interne ». Il a tout d'abord réveillé les réticences de l'ensemble des réseaux politiques français, largement alimentés par les propres équipes de Vivendi Environnement, et qui m'ont compliqué la tâche de façon quasi insurmontable. Au bout du compte, la recherche de partenaires industriels français étant devenue très difficile, il était apparu qu'une solution de mise sur le marché de la totalité du capital était la seule voie réellement offerte.

Surtout, au gré de mes différents contacts au conseil, il était devenu évident qu'une partie des administrateurs américains, peu enthousiasmés par les métiers de médias et furieux de la cession des vins et spiritueux, risquait de s'opposer à la cession de cette « ancre », réputée stable et prévisible. Sam Minzberg et Dick Brown l'évoqueront d'ailleurs explicitement lors d'un conseil. Par ailleurs, une majorité des administrateurs français était contre cette cession. Ils l'étaient par peur et en raison de leur méconnaissance des médias. Ils avaient de surcroît le sentiment qu'il s'agissait là d'une « trahison » des origines du groupe. Objectivement, je n'ai toujours pas compris en quoi le fait de redonner à l'environnement l'indépendance boursière dont avait toujours bénéficié la Générale des Eaux eût constitué une « trahison »! Certains s'opposaient aussi à cette cession car ils étaient soumis à l'influence directe de certaines équipes de Vivendi Environnement ou parce qu'ils recevaient des messages des politiques. Dans ces conditions, comment parler de valeur pour l'actionnaire?

Je me souviens de ce week-end de janvier où, inscrivant les noms de mes administrateurs en deux colonnes « Pour » et « Contre », j'étais à 9 contre 9.

En fait, au fil des mois, il apparaissait de plus en plus clairement que la « fracture culturelle » n'opposait pas d'un coté les Européens face aux Américains, mais qu'elle divisait chaque camp en deux. Il devenait impossible de « piloter » le conseil d'administration. Ainsi, quatre clans se sont progressivement formés :

— Les Américains « amoraux » qui croyaient dans la stratégie suivie, mais qui souhaitaient mon départ. Ils pensaient, dans une vision « simpliste » des événements, que cela favoriserait automatiquement une remontée du cours. Edgar Bronfman Junior était leur chef de file.

— Les Américains « pourfendeurs ». Ceux-là ne croyaient ni dans la stratégie — les médias n'étaient pas leur tasse de thé, depuis bien avant la fusion d'ailleurs — ni dans l'équipe dirigeante. C'était le clan mené par Sam Minzberg, le représentant de Charles Bronfman, de longue date opposé à la cession de Seagram.

— Les Français « non cohérents ». Ils me soutenaient, certes, mais dans la réalité ils n'ont jamais accepté la transformation du groupe et souhaitaient, en contradiction totale avec leurs propres décisions, revenir en arrière (par calcul, par peur ou sous influence) au dernier moment. Henri Lachmann en était le principal représentant.

— Les Européens « industriels ». Au-delà du soutien au président, ils défendaient de façon forte et cohérente la stratégie mise en place qu'ils souhaitent voir menée à bien. On y trouvait notamment Marc Vienot, Serge Tchuruk ou encore Simon Murray.

Il est difficile de mener un tel conseil qui tenait plus d'un parlement radical ! Division à l'intérieur des Américains, division à l'intérieur des Français... Querelle entre les anciens et les modernes... Nécessité d'imposer cette décision par la voix prépondérante du président... contre les dirigeants de l'environnement et contre une majorité d'administrateurs français, contre les politiques. J'ai pesé le pour et le contre. J'ai hésité. J'ai consulté. J'ai renoncé à soumettre cette décision à un vote explicite. Ce renoncement était une erreur.

À partir du moment où Vivendi Environnement était introduit en bourse et où sa relation avec Vivendi Universal ne reposait plus que sur le paiement d'un dividende (dividende inférieur au coût financier du portage de cette participation, fut-elle de contrôle, dans Vivendi Environnement), plus rien ne justifiait de conserver les deux entités médias et environnement. Seule la volonté de réaliser cette opération de cession dignement et de manière responsable justifiait de prendre encore un peu de temps. J'ai été trop lent, trop timoré. Le conseil aurait bien dû prendre ses responsabilités, sur la base de l'intérêt des actionnaires et non pas sur la base de ses propres intérêts, de ses amitiés particulières ou de ses proximités...

L'opération était difficile à vendre en terme de communication, certes. Mais la communication ne doit pas décider du reste! Il aurait fallu expliquer que la formule utilisée avant l'introduction de l'environnement en bourse et avant le rachat de Seagram – « marcher sur deux jambes » – devait et pouvait se transformer ensuite en un groupe suffisamment fort pour qu'il fasse naître de lui-même deux champions véloces et assurés.

On aurait certainement crié à l' « américanisation ». Il aurait alors fallu réexpliquer également que le groupe, désormais entièrement investi dans les médias, tout en étant fort aux États-Unis, est encore plus fort en Europe puisque, je le répète, il y réalise 55 % de son chiffre d'affaires. Tout cela était possible et nécessaire. Et le demeure !

Quand on analyse avec recul un événement historique par exemple, on parle parfois d' « erreur déterminante » ou d' « erreur fatale ». On désigne par là une erreur qui, dans un combat, l'évolution d'une société, a entraîné dans son sillage d'autres erreurs résultant de la première. De sorte qu'éviter ces dernières erreurs est inopérant pour changer le cours des événements puisque l' « erreur déterminante » a déjà été commise.

La mienne aura bien été celle-là : ne pas forcer la séparation totale avec l'environnement. Cela résolvait, comme on l'a dit, tous les problèmes de bilan, de trésorerie, le reproche de conglomérat et obligeait les administrateurs à se prononcer en toute clarté. Quitte à partir, pour ceux qui étaient en désaccord. Leur départ aurait permis de reconstituer le conseil sur d'autres bases. Un accord du conseil aurait donné un caractère irréversible à la transformation du groupe. Même les équipes de l'environnement y auraient trouvé leur compte. En revanche, un désaccord du conseil aurait entraîné mon départ, sur des bases claires, en évitant des mois et des mois de coups bas, de coups tordus. Cela aurait contraint les administrateurs à prendre leurs responsabilités... face à la chance historique de se doter d'un groupe de médias global d'influence française et européenne.

2. « *Le conseil d'administration* »

La deuxième erreur, très liée à la première, a sans doute été de ne pas faire évoluer le conseil d'administration au même rythme que le groupe. La distorsion entre les diverses compétences réunies autour de la table, la connaissance nécessaire, minimale, des marchés sur lesquels nous intervenons (marchés de services, de créations ou de talents et non des marchés industriels traditionnels), s'est rapidement accentuée au fil des années. Combien de membres du conseil d'administration ont-ils eu la connaissance, la compréhension, l'appréciation de ces métiers de talents et de création? Combien d'entre eux ont-ils eu la compréhension des modèles économiques sous-jacents de ces activités? Je n'ai su ou pu expliquer au conseil d'administration suffisamment vite, suffisamment en détail, la logique, la force de nos métiers de médias. La conséquence en fut, dans un premier temps, une acceptation, un soutien explicite, une approbation non moins explicite de chacune des étapes de transformation du groupe. Puis, le temps passant, une appréhension, la manifestation d'une peur devant l'inconnu qui s'est traduite par l'obsession du retour vers la vieille Générale des Eaux, vers les métiers de l'environnement, considérés à tort comme plus « sûrs » parce que mieux compris par eux.

C'est finalement cette inadéquation de la composition du conseil qui est à l'origine de cette dernière étape ratée, bien qu'indispensable, de la transformation du groupe. Est-ce la preuve d'une incohérence de la part du conseil que d'avoir soutenu le début de cette politique de séparation, étape par étape, pour en empêcher la phase finale? Oui. Y a-t-il, en outre, incohérence dans le soutien, conseil après conseil, qu'ont exprimé les administrateurs à chaque étape de cette transformation et l'expression postérieure d'un doute, d'une volonté stratégique de revenir après coup vers les métiers de l'environnement? À l'évidence. D'ailleurs, il est symptomatique de constater que ce sont les administrateurs français ayant la plus faible connaissance de ces métiers de loisirs, de communication et de télécommunications, qui seront les premiers à « trahir ». Plus professionnel, plus convaincu « industriellement », le conseil eût été, c'est évident, plus solide, parce que plus déterminé et plus compétent. Mais c'est mon erreur. Je ne me suis pas aperçu assez vite de la force de ces divisions et incohérences. Et je n'en ai pas proposé la résolution définitive, en forçant par exemple le vote sur la cession totale de Vivendi Environnement.

3. « Bousculer Canal+ »

Ayant pris le contrôle complet de Canal+, j'ai trop tardé avant de changer d'équipe et de relever Pierre Lescure de sa responsabilité. Alors que Canal+ se trouvait confortablement logé au sein de Vivendi Universal, ses équipes n'ont jamais vraiment voulu jouer le jeu du groupe. Canal+ représentait pourtant une lourde charge pour le groupe : 5 milliards d'euros de dettes, 700 millions d'euros de pertes, et des perspectives 2002 très largement inférieures à celles qui avaient été présentées quelques mois auparavant.

La gestion du « dossier Canal+ » a représenté, pour Vivendi Universal, un boulet et l'a gêné dans le succès de sa stratégie.

Canal+ illustre de manière paroxystique la difficulté à choisir entre d'un côté le respect de la culture d'entreprise, indispensable pour qu'une entreprise de création réussisse parce qu'elle est différente des autres ; et d'un autre la nécessité de prendre des décisions managériales dépassionnées, à froid, fixant ainsi une limite à cette culture d'entreprise dès lors que celle-ci emmène l'entreprise à sa perte. C'est la voie qu'avait prise Canal+. Une voie qui eut été dangereuse si la chaîne était restée indépendante. En conséquence, la décision managériale s'imposait : changer l'équipe. Le bon sens, le respect de l'entreprise, pour Pierre Lescure, aurait été d'accepter la présidence du conseil de surveillance pour être, sans responsabilité de gestion au quotidien, le garant de l'esprit, de l'indépendance, et de l'irrévérence propre à Canal+. Je n'ai que trop attendu. Et son éviction brutale parce que tardive s'est transformée en affaire d'État.

La situation de Canal+ nécessitait également une analyse géographique détaillée : dans quels pays rester durablement ou pas. Une analyse de métier réaliste : comment vont évoluer les métiers de producteur et de diffuseur ? Faut-il les séparer ? Jusqu'où ? Quand ? Tout cela n'a pas pu, jusqu'à une période très récente, être mis froidement sur la table, sans à priori.

Que puis-je dire, aujourd'hui, de Pierre Lescure ?

J'ai eu tort de me laisser séduire par l'homme et intimider par l'icône. J'aurais dû lui demander beaucoup plus tôt de quitter Canal+. Ses qualités humaines ne sont pas en jeu. Pas plus que sa crédibilité ancienne de journaliste et la sincérité de son attachement à l'esprit Canal+. Chacun sait ce qu'a représenté sa passion du foot, de la musique et du cinéma et ce que lui doit une génération de « trubions » de la télé qui ont fait de Canal+ un lieu d'innovation et d'irrévérence.

Mais son incapacité à organiser Canal+ était patente. La permanence d'un fonctionnement que je jugeais pourtant stalinien – tu marches au pas, tu appliques la doctrine, tu te tais et tu caches la réalité vis-à-vis de l'extérieur – est entière. Que d'erreurs. Cette incapacité à comprendre que le monopole de Canal+, c'est fini. Le risque fou qu'il a pris en refusant de s'allier à TPS avant que ce dernier n'existe (« ils ne réussiront jamais!). L'arrogance liée à cette prétendue supériorité de Canal+. Le non-contrôle – c'est un euphémisme – des activités à l'étranger. L'immobilisme et le règne des copains. La croissance inexorable de la dette, logée confortablement à l'abri de Vivendi. La décroissance de l'audience... Et même si « les copains » ont, les uns après les autres, comme l'a remarqué la presse, été trahis et lâchés par Pierre, toute la bande est devenue riche après s'être copieusement servie. Au bout du compte, avoir tellement peu de respect pour son antenne et la prendre en otage pour ses besoins personnels!... Un patron salarié de média n'est pas plus propriétaire de son entreprise, de son antenne, qu'un autre. Triomphe de l'arrogance et du nombrilisme.

Je me suis laissé séduire par la personnalité de Pierre. Oui, j'ai apprécié l'homme. La dimension affective de notre relation a bien existé. J'ai voulu excuser l'échec de son rôle américain chez Universal. J'ai attendu avant d'arrêter l'hémorragie Canal+ et sa sclérose. J'ai eu tort. J'ai aussi manqué de cynisme. Je savais ce que la fusion avait demandé d'engagement personnel de Pierre Lescure auprès de ses équipes pour leur faire accepter une « appartenance » à VU, très éloignée de leur culture d'origine. Nous avions signé, ensemble, une charte sur le respect de Canal+ et de ses valeurs. Je ne voulais en trahir ni la lettre, ni l'esprit. Et j'ai retardé le temps entre le constat des carences et la décision de se séparer. Je l'ai prise de ce fait, en urgence, à un moment particulièrement difficile.

Quant aux « Guignols » de Canal, que dois-je en dire ? Les Guignols sont indissociablement liés à l'esprit Canal. Soit. Je savais que je serais très vite une de leurs « victimes » obligées, que je n'échapperais pas à ma marionnette. Le seul moyen pour l'équipe de Canal de montrer son indépendance vis-à-vis de l'actionnaire, de son patron, était évidemment de donner une marionnette à J2M, puis à J6M. M'étant fait une règle intangible du respect de la plus totale indépendance éditoriale, j'étais donc condamné à ne pas intervenir, que j'en sois heureux ou pas, que les scènes soient de bon goût ou pas. Jamais, je n'aurais donné le plaisir aux Guignols de paraître touché par l'un ou l'autre de leurs sketchs !

Ai-je ri souvent ? Oui. Comme à ce sketch, par exemple, où le bébé J2M est retrouvé dans des bunkers sableux d'un golf, abandonné et élevé par des pères Stalone, autrement dit des « World Company dads » !... Ai-je trouvé Les Guignols de mauvais goût ? Oui, aussi. Qui apprécierait de se voir surnommé « Gros cul » devant des millions de téléspectateurs ? La vulgarité peut parfois servir de cache-sexe à l'absence d'imagination...

Sur le fond, je trouve qu'il est sain qu'une émission satirique mêlant l'humour, l'irrévérence voire la provocation existe quelque part sur nos écrans de TV. C'est sain pour la démocratie. C'est sain pour le public. Mais c'est aussi une question d'équilibre, de dosage. Un cocktail fragile, difficile, qui n'a pas toujours été respecté par les Guignols. Un équilibre complexe entre humour et vulgarité « beauf ». Nul besoin d'humilier une femme estimable comme Bernadette Chirac ou un concurrent comme Patrick Le Lay pour être drôle ou indépendant.

Les Guignols ont souvent été incapables de faire leur « autocontrôle », de s'arrêter à temps sur la ligne de la décence. Chacun de leurs dérapages signe un échec de leur équipe, un manque de crédibilité. Quand on diffuse une émission satirique comme celle-là, franchir la ligne jaune n'est plus un succès ou une preuve d'indépendance, c'est d'abord un échec et une démonstration d'immaturité. Un péché d'arrogance. Et Dieu sait si l'arrogance n'était pas la qualité la moins bien partagée chez Canal+ et chez les Guignols en particulier. Bruno Gaccio, leur florissant auteur vedette, se souvient-il de l'intervention, au cours de l'Assemblée de Vivendi Universal, le 24 avril 2002, d'un petit actionnaire excédé par l'arrogance de ses propres questions, lui disant : « J'en ai marre que les Guignols à longueur d'émission dénigrent le groupe qui les paye et celui dans lequel j'ai investi mes économies. Qu'il prenne ses marionnettes sous le bras et aille voir ailleurs si une autre chaîne est prête à le récupérer ! »

4. « Aller un peu moins fort, un peu moins vite. »

Quatrième erreur : il nous fallait réaliser de nombreuses acquisitions, puis passer du temps à les intégrer pour réussir la transformation de la Générale des Eaux en Vivendi Universal. Aucun doute à ce sujet : le mouvement était indispensable à la réussite. Nous en avons peut-être fait un peu trop, trop vite. Même si, sur le plan opérationnel les intégrations furent réalisées rapidement et, pour l'essentiel, avec un grand succès. Tel est le cas, notamment, des jeux, de l'éducation, de la musique.

Aurait-on prévu le 11 septembre, l'affaire Enron et ses conséquences sur les marchés, qu'il eût néanmoins fallu nous limiter strictement aux besoins les plus stratégiques du groupe et nous abstenir de réaliser des transactions, certes utiles pour le développement des métiers, mais moins prioritaires.

Nous avons eu raison de ne pas renoncer à USA Networks. En rapprochant les activités télévisions et films, l'opération donne à Vivendi Universal Entertainment (VUE) tout à la fois cohérence, force et compétitivité sur le marché américain. Sans oublier la capacité d'intégrer les activités de cinéma et de production télévisée, ainsi que de construire, avec la réunion de trois studios de spécialités, le premier challenger de l'américain Miramax. La logique industrielle de VUE est extrêmement forte.

Nous avons eu également raison de signer l'alliance avec EchoStar. Elle fournit au groupe une fenêtre de distribution privilégiée et un ensemble d'accords commerciaux technologiques uniques sur le marché américain avec une prise de participation très temporaire.

En revanche, les acquisitions de Maroc Telecom ou celle de mp3.com étaient certainement moins prioritaires. Avec le recul elles apparaissent plus contestables et ont « pesé » 3 milliards d'euros. Maroc Telecom est une bonne opération industrielle, intelligente. Celle dont le dénouement complet aurait pu nous permettre de sortir Cegetel de son côté purement français, de favoriser ultérieurement le rapprochement avec Belgacom ou d'autres. A posteriori, elle est venue trop tôt. Ces acquisitions ont limité d'autant nos marges de manœuvre en 2002. Bien que porteuses d'avenir et de valeur pour les actionnaires de Vivendi Universal, elles ont pesé sur la structure de bilan et de financement du groupe. Dans cette période fragile, c'est le timing qui a posé problème, pas l'opportunité stratégique. Cela dit, remise dans son contexte, chacune constitutait une bonne décision financière, industrielle, stratégique en fonction des informations disponibles au moment de la décision. Chacune était dans l'intérêt et la stratégie sociale du groupe.

5. « *La relation avec les politiques français* »

On a beaucoup dit qu'ayant décidé de passer beaucoup de temps aux États-Unis pour favoriser l'intégration du groupe, de ses équipes, j'avais perdu mes points de repère français, que je ne comprenais plus la France et son mode de fonctionnement. Dès le mois d'octobre, avant même la fameuse déclaration sur la fin de l'exception culturelle française et la primauté de la diversité culturelle, et lorsqu'un bras de fer public s'est engagé avec Laurent Fabius, alors ministre des Finances, à propos du premier paiement des licences UMTS, ce leitmotiv a surgi : « *Messier est trop américain, il ne comprend plus la France.* »

De quoi s'agissait-il, en l'occurrence? Le prix des licences UMTS pour la téléphonie de troisième génération avait été fixé à 5 milliards d'euros. C'était au plus haut de la bulle spéculative sur les télécoms. On savait en octobre 2001 que ce prix n'avait plus aucune validité économique. Nous l'avons constaté et refusé de le payer.

Et laissez-moi faire part de cette conviction. Dans cette affaire, les gouvernements anglais et allemand – les premiers à titrer – portent une responsabilité majeure. Sous un maquillage idéologique libéral et sous prétexte de « faire payer l'usage commercial de fréquences rares qui sont un bien collectif », ils ont fait de la surenchère purement spéculative au lieu de faire de la politique industrielle intelligente en favorisant une nouvelle technologie. Finalement, n'est-ce pas en large partie de l'UMTS que vient, en Europe, non seulement l'éclatement de la bulle mais la cassure de l'économie réelle (Alcatel et les autres y ont perdu leurs clients)? N'oublions pas que la crise financière majeure de ces dernières années a démarré par l'effondrement des valeurs télécoms.

Je me suis mis en opposition avec le gouvernement français, sciemment, et non sans en avoir parlé avec le ministre des Finances, le Premier ministre, France Telecom et Jean-Michel Hubert, le président de l'Autorité de Régulation des Telecoms. Dès le dimanche 30 septembre, avant la publication de notre communiqué de refus de paiement, la voie de sortie de crise avait été définie, ensemble, et actée avec les équipes de Matignon.

La presse, qui ignorait alors cet accord, a tiré à boulets rouges : « *Messier ne comprend plus rien* », « *Messier battu par le gouvernement* », « *le gouvernement montre sa force* »... Dont acte. Aucun commentaire de notre part, jusqu'à ce jour du 17 octobre, donc dix-sept jours plus tard, lors de l'annonce d'une réduction très importante du prix de la licence UMTS, faite à l'Assemblée Nationale par le ministre des Finances. Ce prix se contentait d'acter le premier paiement et de supprimer les suivants en échange d'une redevance proportionnelle au chiffre d'affaires, autrement dit liée à l'activité réelle de l'UMTS.

C'était une bonne décision industrielle, favorisant le développement de l'UMTS en France et permettant à notre concurrent Bouygues Telecom de rentrer lui aussi dans la course de cette licence. Cette décision politique redonnait ainsi une réelle perspective économique à cette activité importante pour l'avenir. Le gouvernement avait pris une décision sage. Je l'ai saluée, malgré le prix médiatique qu'il m'en a coûté.

Cet épisode a marqué le début de la dégradation de mes rapports avec l'environnement politique français.

Le paroxysme sera atteint au moment du débat sur « l'exception culturelle » française. Le monde politique français est, on le sait, trop sensible aux corporatismes les plus étroits. Pas un seul de nos hommes ou de nos femmes politiques ne cherchera à connaître le contexte et les termes exactes de ma déclaration. Dans une campagne présidentielle sans ressort, éteinte, morte, dépourvue d'idées, hormis ce thème de l'insécurité transformé en thème unique de campagne, on s'est abondamment servi de ce petit épisode relatant une moitié de cette phrase malheureuse prononcée à New York afin d'alimenter la campagne et mener l'hallali contre moi. Soyons honnête : je ne m'y attendais pas, je n'ai pas compris ce qui se passait, je n'ai pas ressenti immédiatement l'importance de cette campagne de dénigrement.

De nombreux Français étaient présents dans la salle lorsque j'ai fait cette « déclaration » à la suite de l'accord avec USA Network. Qu'ai-je dit ? Que « *l'exception culturelle française est morte* », parce qu'elle a « *laissé la place à la diversité culturelle* ». Cela veut dire que nous sommes fiers d'être forts en Europe, et que nous sommes fiers de le devenir aux États-Unis et d'y planter le drapeau français. Nous sommes fiers, notamment au travers de Canal+, d'être le premier soutien du cinéma français en France mais aussi du cinéma italien en Italie, du cinéma polonais en Pologne... Pas de quoi fouetter un chat. D'une certaine manière, c'est même une évidence.

La diversité, c'est la somme de toutes les exceptions nationales. La diversité, c'est aussi l'acceptation d'une priorité à donner à l'exportation, à la rencontre de la culture de l'autre, à son intégration dans la production nationale. Combien de cinéastes, de productions géniales sont-elles nées de la rencontre avec des auteurs issus de cultures et de nationalités différentes de la nôtre? Oui bien sûr, il faut admettre les moyens nationaux de favoriser les politiques de création et de reconnaissance culturelle.

La communication, tant de la part de l'entreprise que de mon propre fait, fut, durant cette période, extrêmement mal gérée. Cet épisode illustrera pour longtemps les dangers d'une mauvaise communication. Un tel dérapage a laissé s'installer l'idée que Vivendi Universal était décidément trop américanisée, oubliant qu'elle était française. Terriblement injuste. Car à l'intérieur de Vivendi Universal, les équipes savent qu'elles appartiennent à un groupe global, mais elles savent aussi que ce groupe est français, et fier de l'être. Cette polémique stérile a donc non seulement provoqué une coupure très nette avec l'environnement politique, culturel et institutionnel français, mais elle a donné une image rigoureusement inverse de ce qu'est Vivendi Universal, de son ambition et de sa réalité quotidiennes au service exclusif de la diversité culturelle et de la promotion de la culture française dans le monde.

Finalement, l'explication de ces problèmes avec les politiques est assez simple. Pendant que je construisais le groupe, je ne pensais qu'à celà, jour et nuit. Je n'ai pas pris la peine de cultiver le système bien français consistant à rendre mes hommages respectueux aux gouvernements qui se succèdent. J'ai eu tort! Quand les difficultés sont arrivées, « ils » me l'ont fait payer en sortant les fusils à lunettes!

6. *Ma « sur-communication »*

Vivendi Universal avait besoin des médias pour engager sa transformation radicale, pour amener celle-ci à son terme aussi rapidement que possible. Il fallait donner une image, une ambition, un enthousiasme, une vision pour Vivendi Universal, à l'extérieur comme à l'intérieur, pour l'ensemble de nos équipes. Il est plus facile d'incarner une telle vision à travers un homme. J'ai essayé de personnaliser, de porter haut et fort cette vision, cette ambition pour la France dans les métiers de la communication. C'est peu de dire que le retour de bâton fut cruel. Ces assauts furent-ils à la hauteur de ma médiatisation personnelle, de ma starification ? À la hauteur, aussi, de ce que j'avais moi-même suscité en acceptant des interviews dans la presse populaire au-delà de ce qui était strictement nécessaire pour mon métier de patron et pour mon entreprise ? Oui certainement. Et soyons clairs. Je n'ai pas écouté les mises en garde répétées de mes collaborateurs, de mes amis, d'Antoinette... Combien de fois ma femme, Antoinette, ne m'a-t-elle pas dit « Jean-Marie tu en fais trop. C'est inutile et dangereux ». Je n'ai pas suffisamment écouté la force de son bon sens. Voilà. Ce sont mes erreurs, sans aucun doute.

Pourquoi avouer mes erreurs ? En politique, et Dieu sait si certains de nos hommes politiques français sont habitués à pratiquer cela sans défaillance et sans défaut, on a coutume de dire : « Il ne faut jamais avouer ses erreurs, la mémoire du peuple, la mémoire des hommes est courte. La seule manière de survivre dans un milieu hostile est, quelles que soient les erreurs que l'on a commises, de ne jamais les avouer. »

Il est évident que, sans erreurs, le groupe que j'anime n'aurait pas prêté le flanc à tant de critiques. Vivendi Universal n'aurait sans doute pas connu cette période de faiblesse, même limitée dans le temps, qui a permis à certains de le déstabiliser et même de s'en emparer. Les parcours sans erreurs, cela n'existe pas. Ni dans la vie professionnelle, ni dans la vie personnelle, politique, des affaires. Chacun en commet un jour ou l'autre. Je n'échappe pas à la règle. Mais ces erreurs n'ont jamais comporté le moindre manquement à l'honnêteté et à l'intégrité. Et les décisions prises n'ont jamais poursuivi d'autres objectifs que de servir ce superbe groupe qu'est Vivendi Universal.

Chapitre XI
Nos succès

> « Dans la vie, il n'y a pas de solutions. Il
> y a des forces en marche : il faut les créer
> et les solutions suivent. »
>
> Saint-Exupéry, *Vol de nuit*

Quelle drôle d'idée ? Parler des réussites ? Mais cela va de soi, commentera n'importe quel Américain. Mais cela ne nous intéresse pas, répondront beaucoup de Français. Je ne crois pas à ce simplisme et au contraire, dans les nombreux mails et messages – plusieurs milliers – que j'ai reçus, j'ai senti une volonté forte de reconnaître aussi les réussites et la vertu du risque.

C'est pourquoi j'ai décidé d'évoquer ici, sans plus de pudeur que je ne l'ai fait avec les erreurs, ce qu'ont été pour moi les plus belles réussites de Vivendi Universal.

1. « *Le talent – Les hommes* »

La première de nos réussites c'est la capacité à attirer et à garder des talents. Souvent pour parvenir au pouvoir – comme en politique par exemple – il faut tenir sous le boisseau ses rivaux. La condition de la longévité c'est la castration des talents. Dans les métiers de la création c'est l'inverse. Elle s'accommode mal de la hiérarchie. C'est le royaume obligé de petites équipes autonomes autour de personnalités fortes. La force de Vivendi Universal – en tout cas jusqu'à présent – c'est de n'avoir perdu aucun talent clé après la fusion et même d'avoir su en attirer de nouveaux.

Notre équipe était une vraie équipe de numéros un, tous capables de mener une entreprise indépendante, de la développer. Je suis fier d'en avoir été le capitaine.

À commencer par Éric Licoys. Quinze ans de vie commune. Une incroyable capacité à entraîner les équipes, à les former. Un sens inné de la négociation et des compromis gagnants. Un vrai talent, Éric. Chaleureux. Entraînant. Il a mon amitié, ma reconnaissance et l'envie de partager encore des aventures !

Je devrais parler d'Agnès Touraine et de Philippe Germond, patrons de l'édition et des télécoms, les deux candidats à être dans l'enveloppe scellée de ma succession. Complets. Exceptionnels. Internationaux. À défaut de me succéder, ils deviendront néanmoins numéros un. Pour sûr ! Et puis il faudrait ajouter – côté américain à Barry Diller et Doug Morris ou Jimmy Iovine bien d'autres talents dans la musique comme Lyor Cohen, Jurgen Larsen ou Chris Robert ou, dans le cinéma, Ron Meyer, Stacey Snider. Ce livre ne suffirait pas à la galerie de portraits, à la galerie de talents.

Je fais un pari. Cette équipe, dans ou en dehors, de Vivendi Universal fera la différence. Dans un, trois ou cinq ans, vous les retrouverez tous « en haut de l'affiche ». Car ce sont de vrais bons, talentueux et passionnés. C'est une grande et belle équipe. L'avenir en sera le témoignage éclatant.

2. « *Résultats opérationnels : objectifs tenus* »

La première des réussites, la plus spectaculaire aussi dans ces marchés hésitants et pourtant rarement commentée : Vivendi Universal a tenu l'ensemble des objectifs opérationnels. Mois après mois, nos équipes se sont battues, pour conquérir des parts de marché, développer les revenus, réduire les coûts... et finalement atteindre leurs objectifs !

En 2001, Vivendi Universal est le seul groupe de médias important dans le monde à ne pas avoir fait « d'avertissement sur ses résultats » (les fameux *profit warning* tant redoutés des marchés... et des dirigeants !). Notre chiffre d'affaires a connu une croissance interne proche de 10 % et une croissance des marges d'exploitation de 35 %. Dans des marchés pour l'essentiel en récession, c'est un résultat exceptionnel.

Le groupe doit sa forte croissance interne à deux chiffres grâce à l'équilibre obtenu entre ses activités de contenus (dont la croissance naturelle avoisine les 7 %) et celles de la distribution (satellite numérique et mobilité) souvent supérieure à 15 %.

Mais il la doit aussi à ses conquêtes de parts de marché. Dans chacun de nos métiers, notre croissance est plus rapide que celle de nos concurrents.

Les 35 % de croissance des résultats bruts d'exploitation, le doublement du résultat d'exploitation, l'amélioration de plus d'un milliard d'euros du cash flow... Hasard? Comptabilité créative? Non, à définitions constantes et avec le cash flow on ne peut pas « tricher » : c'est l'argent qui rentre, moins l'argent qui sort.

Chacun de nos métiers, hors Canal+, se situe dans les trois meilleures rentabilités de sa profession au niveau mondial... Hasard? Non, priorité au quotidien à la gestion, qualité des équipes et impact de la fusion. Voilà les trois raisons de ces podiums à répétition.

Lorsque, à l'intérieur d'une même équipe, chaque athlète, ou presque, est capable d'atteindre le podium, vous l'imputez au hasard? Non, c'est l'affaire des talents, du travail et de l'esprit d'équipe. Dans l'entreprise c'est la même chose.

La réussite opérationnelle de Vivendi Universal tient à la fois à chacun des métiers et au groupe. Prenons quelques illustrations.

« *Les télécoms* ». Qui se souvient que Cegetel n'existe que depuis six ans? Rien à voir avec le métier de banquier d'affaires. On a pris une *start-up*, avec une licence analogique, une société de purs ingénieurs, au cash flow très négatif (en 1995, 4 milliards d'euros de cash flow négatif cumulé!), un chiffre d'affaires faible (moins de 500 millions d'euros) et on l'a développée. On a changé les équipes, créé une culture d'entreprise, n'omettant certes pas la technique chère aux ingénieurs, mais privilégiant au moins autant le service clients, l'innovation dans les services, le marketing, la recherche du profit. Résultat, en six ans, le chiffre d'affaires fut multiplié par vingt, le déficit chronique transformé en cash flow libre de plus 1 milliard d'euros par an, pas de dettes, des parts de marché confortées, le pari tenu de développer un concurrent complet face à France Telecom, une entreprise prête pour la prochaine révolution technologique de l'image sur le portable (l'UMTS), les meilleures marges du secteur en Europe.

« *Les jeux* ». En 2000, à partir d'une activité jeux/logiciels éducatifs (les fameux personnages Adi-Adibou très connus des enfants européens) très française nous avons repris les jeux de Cendant aux États-Unis, à la barbe de Microsoft, avec les sociétés californiennes Sierra et Blizzard. En lourd déficit, laissées à elles-mêmes. Incrédulité générale. Échec prédit. Arrogance des concurrents comme Infogrames. Trente mois après : Infogrames est au trente-sixième dessous, en décroissance, en difficulté de résultats et soupçonnée de comptabilité créative. Et VU Jeux ? Une société brillante dont la croissance du chiffre d'affaires et celle des performances opérationnelles atteint quasiment 25 % par an, largement au-dessus du marché, capable de se diversifier dans les consoles, capable de truster année après année les récompenses suprêmes des meilleurs nouveaux jeux avec la série des *Half Life*, *Diablo*, *Warcraft*, etc. Prête pour la révolution des jeux à univers persistant, travaillant à fond avec la musique (UMG), sur 100 % de ses nouvelles productions, travaillant à fond avec la littérature ou le cinéma pour utiliser, valoriser au mieux les meilleurs « caractères » développés pour ces autres métiers du groupe (Curious George, le personnage de livres pour enfants, introduit dans les logiciels éducatifs ; des jeux développés autour des films de la Momie, d'Eminem, etc.).

« *L'éducation et la littérature* ». Un an après la reprise de Houghton Mifflin dans l'éducation aux États-Unis, c'est la société du secteur ayant la meilleure croissance pour la seconde année consécutive. Pas moins de 75 millions de dollars de synergies effectives mises en place dans tous les domaines (achats, logistique, informatique, internet, développement de produits). Un travail en route avec le cinéma pour lancer de nouveaux produits d'apprentissage des langues s'appuyant sur des extraits de films célèbres, un autre pour valoriser notre position de premier éditeur mondial en langue espagnole (avec Anaya en Espagne) sur le marché américain... premier marché hispanophone par la taille dans le monde! Hasard encore?

Un secteur littérature prospère, une activité éducation et logiciels en Europe forte de plus de 30 % de leurs marchés respectifs dans nombre de pays de la Communauté, une présence active et profitable en Amérique du Sud.

« *La musique* ». Dans un marché difficile en décroissance pour cause de piratage, un Universal Music Group numéro un dans six des sept premiers marchés du monde, mais aussi leader dans la création de musiques locales, nationales partout dans le monde, sauf peut-être au Japon. Le groupe qui le premier a décelé et cru aux tendances du raï, du rap, du hip-hop tout en préservant les cultures classiques, jazz country. Un éditeur de musique dont les profits opérationnels dépassent ceux des numéros deux et trois mondiaux réunis.

« *Le cinéma* ». Un studio, Universal, qui tout en connaissant succès absolus, relatifs ou échecs comme il est normal dans cette profession, a réussi à se hisser des profondeurs à une place de numéro un ou deux profitable, renouvelée, managée. Générant aujourd'hui profits et cash flows pour les derniers exercices avec le ratio de profitabilité (*cash for cash*, argent retiré sur argent investi) le plus élevé de l'industrie. Recueillant au niveau du groupe, oscars et palmes d'or, capables de produire ou coproduire dans plus de dix langues différentes.

3. « *La cohérence du groupe* »

Au niveau du groupe Vivendi Universal, pour les seuls métiers de contenus, plus de 600 millions d'euros de contribution aux résultats opérationnels résultent des synergies mises en place après la fusion, en dix-huit mois, 15 % du résultat opérationnel de ces métiers en moins de deux ans. Avec 15 % de résultats en mieux. En ayant conforté des positions géographiques équilibrées, élément stabilisateur face aux crises. Fusion inutile ?

Et les « synergies de revenus » ? On a évoqué le retard pris dans la convergence technologique. Soit. Mais cela ne remet en cause ni les résultats de chaque métier, ni l'importance des synergies réalisées d'ores et déjà « malgré » l'échec ou le retard de la convergence... ni les autres idées de revenus qui peuvent naître. Elles ont besoin de temps. Ponctuelles jusqu'à présent, elles sont là néanmoins : Universal Mobile Music, offre de téléphonie mobile lancée en France autour de services musicaux innovants qui fidélisent la clientèle des jeunes ; déclinaison de la Momie, sur tous les supports du groupe ; travail en miroir systématique entre la musique, le cinéma, les jeux... Les pistes d'avenir surtout sont déjà en partie tracées. Elles passent en particulier par le développement de vraies franchises.

L'archétype, c'est Disney, avec Mickey bien sûr, mais aussi, plus près de nous, avec Winnie l'Ourson et quelques autres… S'appuyer sur une présence mondiale, sur les renvois d'image forts notamment pour les enfants, les ados, les jeunes adultes entre films, séries télé, musique, livres, jeux et présence dans les parcs de loisirs est une aide considérable, un atout décisif. Il est toujours temps d'y ajouter d'autres produits dérivés, que l'on n'est pas obligé de faire soi-même. Mais mieux vaut partir d'un porte-avions que du plus beau des Riva.

Un groupe d'origine européenne, aussi fort que les Disney ou Warner, c'est possible. Positionné sur l'industrie des loisirs, mais aussi de l'éducation, cela fait sens pour l'avenir. Et les résultats opérationnels en sont le début de preuve.

4. « *La diversite culturelle* »

« *Usually, there's so much corporate BS, says Quincy Jones. But this guy's got a soul.* » (*Vanity Fair*, avril 2002). Cette nuit du 31 janvier 2002, quatre mois après les événements du 11 septembre, nous avons décidé, avec l'aide de Quincy Jones, de Bono – le leader du groupe U2 – et Doug Morris, d'offrir au World Economic Forum exceptionnellement réuni à New York une soirée musicale. Le World Economic Forum est censé réunir les « maîtres du monde », les tenants du libéralisme économique de la terre transformée en « petit village commercial », rassemblés une fois par an dans le village suisse de Davos.

Sous la houlette du président-fondateur, Klaus Schwab, le forum est un lieu d'échanges entre toutes les cultures, religions, races, un lieu de réflexion sur les conditions économiques mais aussi sociales, spirituelles ou scientifiques d'une mondialisation favorable à l'homme. Un lieu où les ONG (Organisations non gou-vernementales) prêtes au dialogue sont accueillies.

La venue à New York, par solidarité après le 11 sep-tembre, est une excellente initiative, malgré les difficultés logistiques d'organisation. Je n'ai demandé qu'une chose pour le programme de la soirée : liberté de pro-grammation, autant de musique arabe qu'américaine, indienne qu'européenne. Quincy, avec qui l'on a déjà beaucoup discuté, sait que c'est une conviction pas un slogan. Bono sait que le jour où il a eu besoin d'un coup de main pour sa campagne en faveur du développement durable, il l'a obtenu instantanément.

Le programme, 25 artistes non rémunérés, réunis en quelques semaines, est à la hauteur des espérances. Divers, ouvert, multiculturel, chaleureux. Vient la fin du concert. Noa, chanteuse israélienne engagée, arrive sur scène. Resplendissante dans sa robe décolletée violette. Quand elle salue le public et commence par remercier de leur présence les Palestiniens dans la salle, on sait qu'on va vivre un grand moment. Elle démarre par un vibrant « Ave Maria » pour les chrétiens. Et puis elle appelle à ses côtés Khaled, chanteur algérien, musulman. « Imagine », de John Lennon. Ce superbe texte de paix, de provoca-tion vis-à-vis des puissants, interprété devant ce public réputé froid, glacial. La chanteuse juive et le chanteur musulman, interprétant ensemble « Imagine ». Noa, démarrant en hébreu, Khaled hululant en arabe. Noa et Khaled ensemble en anglais. Emotion pure. Dans un même geste, les 1 000 « maîtres du monde » se lèvent pour une ovation sans fin à Noa et Khaled. Pari gagné.

Ce duo, c'est pour moi la note d'espoir, la raison de croire au rôle des artistes au milieu de la pire des réalités, au message qu'ils ont de tout temps porté.

Diriger un groupe, c'est chercher le profit. Mais diriger le groupe qui crée le plus au monde, qui vit avec ses artistes dans plus de 60 pays au monde, de toutes cultures, c'est aussi un peu plus que cela. C'est l'ardente obligation de défendre la diversité culturelle. Trois minutes de duo Noa-Khaled sont de ce point de vue plus convaincants que de longs discours.

5. « La dimension sociale »

Cette réussite-là n'apparaît dans aucun article sur Vivendi Universal. Elle est pourtant fondatrice, surtout au moment de jeter un coup d'œil dans le rétroviseur. La dimension sociale est, bien entendu, d'abord interne. Elle est passée dans le groupe par plusieurs politiques clés :
– d'abord, la capacité de créer des emplois. Malgré la difficulté des marchés, malgré l'effondrement des activités internet, le groupe est resté tout au long de ces six années créateur net d'emplois, à périmètre constant (c'est-à-dire sans les acquisitions). Pas loin de quinze mille emplois nets créés dans les médias, dont les deux tiers en France. Par le développement des métiers existants, mais aussi par la pure création interne de nouvelles activités comme Cegetel.
– ensuite, la volonté de ne « laisser personne au bord du chemin » en cas de difficulté. Même dans un groupe globalement créateur d'emplois, certaines activités connaissent forcément des difficultés à certains moments par

la concurrence agressive, le changement d'envies ou d'habitudes des consommateurs, le retournement des marchés. Il faut alors ajuster la taille des équipes, c'est un devoir, et donc supprimer des emplois. La priorité est alors de régler chaque cas individuel par la mobilité, la formation, le reclassement interne ou externe. Le zéro défaut, aucun licenciement sec sans nouvel emploi ou formation à la clé, est difficile à atteindre. Il est difficile de se donner une obligation de résultat, et indispensable de se donner une obligation de moyens : priorité aux recrutements et mobilité interne, formation généreuse, cellules de reclassement, suivi individuel... Avec une volonté de fer dans l'exécution et la mobilisation de nos équipes, sur cinq ans, plus de 95 % des personnes touchées par un licenciement ont été réemployées par, ou à l'initiative du groupe. 5 % d'échecs, c'est autant de drames individuels, mais 95 % de réussites, c'est un motif de fierté pour l'entreprise.

– le dialogue social pour mettre en œuvre cette politique sociale. Les patrons qui se réjouissent de la baisse du taux de syndicalisation dans notre pays ont tort. Il vaut mieux avoir des interlocuteurs responsables et responsabilisés que pas d'interlocuteurs du tout ! C'est pourquoi, en dehors des instances sociales normales, nous avons créé des séminaires de formation européens pour les représentants du personnel.

– le contrôle de la mise en œuvre de ces initiatives afin qu'aucune d'elles ne reste lettre morte. Nous avons pour cela systématiquement fonctionné par voie de chartes, cosignées par la direction et les syndicats, chartes sur les reclassements internes, sur l'accès au Web, sur la formation et les formateurs, les conditions de travail, les droits sociaux fondamentaux : interdiction du travail des enfants, des prisonniers et respect de la liberté syndicale. Pour chacune d'elles, nous avons reconnu aux salariés, par l'intermédiaire de leurs représentants, un droit d'alerte ou d'interpellation pour signaler toutes les défaillances ou difficultés d'application.

– un dernier exemple, celui de l'opération « Internet pour tous ». Nous n'avons eu réellement le temps de ne le déployer qu'en France, mais notre ambition était mondiale. Une idée simple : Internet révolutionne, va révolutionner – sur une génération – l'éducation, la consommation, les loisirs, l'information et l'accès à chacun d'eux. Nous voulons l'intégrer dans nos métiers. Intégrons-le dans nos équipes, en subventionnant la présence d'un micro-ordinateur familial pour chacun de nos salariés, quel que soit son poste ou sa formation ou son métier – pour 3 euros par mois – offrons à chacun la formation Internet. Parce que nos salariés sont la richesse de l'entreprise et qu'ils doivent vivre sa vision. Y compris pour les salariés de l'environnement.

Il en va de même pour la dimension éthique ou pour la dimension sociale externe à l'entreprise dont l'illustration exemplaire est celle de la Fondation Vivendi Universal. 3 000 parrains et marraines parmi nos salariés pour des projets de proximité.

Avec notre équipe, je revendique haut et fort cette réussite, cette priorité sociale. Elle est la face humaine, la réussite durable de toute entreprise. Au nom des 380 000 salariés du groupe, j'ai juste envie de crier cette réussite, collective. Bon travail! Good jobs, guys!

Chapitre XII
Aux actionnaires

« Je ne veux pas uniquement quelque
chose où investir. Je veux quelque chose à
laquelle je puisse croire. »

Anita Robbick
(fondatrice de *Boby Shop*)

Combien de mails reçus commençant par : « Bien que
[simple] petit actionnaire [ou actionnaire salarié] ayant
vu mon épargne fondre, je voudrais vous remercier, vous
dire, vous demander ?... » Des centaines...

On ne peut que comprendre l'incompréhension ou la
rage de certains petits actionnaires devant l'effondrement
de leur épargne après avoir placé leur confiance dans une
entreprise, une stratégie, une équipe. Leur sentiment
d'impuissance face à des mécanismes de marché sur lesquels ils ne peuvent pas peser, et sur lesquels ils pèsent
même de moins en moins. Leurs doutes face aux amalgames ou généralisations faites à partir de fraudes comme
Enron ou Adelphia ou WorldCom...

En deux ans, la baisse des valeurs de médias euro-péennes a, en moyenne, atteint ou dépassé 75 % et celle des valeurs de télécom 80 %! Il n'y a donc aucune chance de trouver un rescapé, beaucoup d'entreprises ayant perdu 90 % ou plus de leur valeur en deux ans. Prenons l'exemple d'une société ayant perdu les deux tiers de sa valeur sur cette période. C'est dramatique pour un actionnaire que de perdre les deux tiers de son épargne. Pourtant, les dirigeants d'une telle société peuvent, à juste titre, dire qu'ils ont fait mieux que leurs concurrents. Maigre consolation, certes, qui n'excuse pas et n'explique pas que les marchés puissent connaître de tels hauts et de tels bas, avec une telle violence. Cette brutalité apparaît injustifiable et sans fin.

Quand on a, comme Vivendi Universal, environ un million d'actionnaires individuels, fidèles, et plusieurs centaines de milliers de salariés actionnaires, cela devient une obsession, une angoisse permanente, vis-à-vis des petits porteurs, mais aussi des salariés. Ils ont l'impres-sion que leur travail est compté pour zéro, que les mar-chés ne font plus la « différence » entre les performances des sociétés dans un même métier, que l'épargne consti-tuée dans l'entreprise, à laquelle on croit pour s'acheter une maison, se marier, sécuriser une retraite, est piégée.

Face à cette angoisse, s'installe la « haine » des « profi-teurs ». Et c'est vrai, certains patrons ont profité des mar-chés pour se constituer une fortune sur le dos de leurs actionnaires, par le jeu d'options, de manipulations de cours, de ventes, sachant que leur activité allait mal ou allait connaître un problème, mais avant de l'avoir révélé au marché. C'est un crime lorsque cela a été organisé et doit être poursuivi comme tel. Mais, comme toujours, et même si c'est difficile dans les circonstances actuelles, attention aux amalgames, aux généralisations hâtives.

S'il y a eu excès dans les modalités et le contrôle de la rémunération des dirigeants, il faudra les atténuer, les corriger par une meilleure publicité « comparative », par une meilleure connaissance des actionnaires, par un rôle plus actif et responsable des comités de rémunération des conseils. Mais le marché des patrons restera un marché « compétitif », encore plus demain, compte tenu de la responsabilité exercée et de ses multiples ramifications. Le prix de cette responsabilité sera toujours difficile à mettre en équations objectives !...

Punir les enrichissements frauduleux : oui. Et de manière exemplaire. Rééquilibrer le contrôle des rémunérations : sans doute. Mais il faut aussi éviter que quelques « moutons noirs » ne jettent un discrédit sur l'ensemble des responsables d'entreprise : absolument indispensable, car sinon ce sont toutes nos économies, leur croissance, qui sont en jeu.

Beaucoup de patrons, et je ne pense pas seulement à ceux des grandes multinationales, mais aussi aux centaines de milliers, aux millions de patrons de petites et moyennes entreprises, aux millions d'entrepreneurs qui exercent ce métier, cette responsabilité, au détriment de leur vie de famille, de leur vie, par passion tout simplement. Parce qu'ils y croient. Parce qu'ils croient dans leur entreprise. Sans en « profiter ». Il ne faut surtout pas l'oublier.

Ces six dernières années, j'ai travaillé comme beaucoup d'entrepreneurs, sans doute pas loin de cent heures par semaine, rivé au téléphone, au fax ou au mail, même en vacances, sept à dix heures par jour. J'ai dû faire plus de deux millions de kilomètres durant cette période, plus de vingt-cinq tours du monde !

Vivendi Universal, sa vision, ses performances, sa capacité à « s'en sortir » et à bâtir l'avenir, je n'y crois pas seulement pour les autres, mais pour moi aussi. Ce n'est pas seulement un risque pour l'épargnant ou le salarié-actionnaire, mais pour moi aussi. Aujourd'hui, la quasi-intégralité de mon patrimoine et de celui de mes enfants est en titres Vivendi Universal, avec des dettes et à un prix de revient largement supérieur au niveau de cours actuel.

Je ferai tout pour ne pas avoir à vendre, maintenant. Parce que les marchés ont perdu leurs repères et leur confiance. Contrairement à un « krach habituel » (comme en 1987 ou en 1995), il ne leur faudra pas seulement de la croissance mondiale et des profits des entreprises pour repartir. Il leur faudra plus de temps. Patience donc. Il leur faudra retrouver la confiance dans les entreprises et leurs comptes. Il leur faudra aussi, j'en suis convaincu, mettre un frein à leurs propres excès spéculatifs au travers d'une meilleure régulation sur tous les produits dérivés, les ventes à découvert...

C'est aussi en pensant à nos actionnaires, aux actionnaires salariés que j'ai résolu de partir début juillet. Conscient que les dissensions au sein du conseil bloquaient la capacité de prendre les bonnes décisions. Conscient que le jeu des rumeurs, souvent folles mais crédibles dans des marchés déboussolés, auquel se prêtaient ceux qui souhaitaient mon départ, faisait celui des spéculateurs et d'eux seuls, contre l'entreprise, contre ses « vrais » actionnaires. Le « vrai » actionnaire pour moi, dans le capitalisme, c'est celui qui s'intéresse à l'entreprise, pour financer son développement et, bien sûr, en retirer profit. Ce « vrai » actionnaire sait que le temps est nécessaire, qu'on ne change pas la stratégie d'une entreprise au gré des résultats d'un mois et qu'on ne la juge pas tous les quinze jours. Il sait aussi que son rôle de contrôle, de pression doit pouvoir librement s'exercer au travers du conseil, en assemblée et grâce à une information de qualité. Il « croit » lui aussi dans l'entreprise dans laquelle il investit.

C'est en pensant à eux que je répondais au *Figaro* le 2 juillet :

« Je me retire aussi en pensant à nos actionnaires et en particulier aux actionnaires individuels salariés ou non salariés. Parce que ces actionnaires individuels, qui ne peuvent pas spéculer sur les marchés, ont été pris au piège dans les attaques dont le groupe a fait l'objet. Je comprends leur désarroi. Lever une source de pression, une source de manipulations, c'est une manière aussi de contribuer au retour à la sérénité. Et puis les marchés ne resteront pas éternellement déprimés. »

Cela nous ramène au rôle des *hedge funds* dans les marchés actuels. Ils ont beaucoup contribué à la bulle spéculative de 2000. Ils ont joué un rôle essentiel dans l'effondrement de ces derniers temps.

Quand on dit qu'avec la baisse de la bourse tout le monde est perdant, tous les actionnaires perdent, c'est faux. C'est le cas uniquement des investisseurs et actionnaires à long terme, piégés par l'importance de la baisse et de leur perte. Les *hedge*, eux, gagnent énormément. Ils gagnent sur les « écarts », à la hausse comme à la baisse. Et quand les titres peuvent perdre plus de 20 % dans la journée, ce n'est plus de la volatilité, cela ressemble à de la mystification !

À cette question s'ajoute, pour les investisseurs, le problème de perte de crédibilité des intermédiaires, de ceux qui leur fournissaient une base d'analyse, de décision : les analystes. Là encore, la confiance a disparu. Comment croire un analyste qui, en quelques mois, passe du plus grand emballement sur la stratégie d'une entreprise, au pessimisme le plus noir ou à la critique la plus sévère ? L'erratisme des marchés n'est-il pas dû plus à l'action des fonds spéculatifs et à l'inconsistance des recommandations des analystes qu'aux performances des sociétés cotées ?

Si on avait écouté les analystes, Vivendi Universal aurait fusionné en 2000 dans la joie et l'enthousiasme avec Mannesmann, sur la base d'une valeur de 5 000 euros par abonné (contre 500 à 1000 aujourd'hui !).

À cela est venu s'ajouter nombre de problèmes éthiques. Quand on voit un analyste du Crédit Lyonnais, écarté de son poste précédent pour des désordres psychologiques, devenir « la » référence en matière d'analyse et donner interview sur interview, dans quel monde est-on ? Sait-on que cet analyste promu pythie avait été trouvé quelque temps avant en train d'uriner dans le frigo du président de son précédent employeur ? Quand on voit la multiplication des conflits d'intérêt au sein des banques d'investissement, comment redonner confiance ?

L'actionnaire individuel face à tout cela a l'impression d'être une « victime », prise au piège de forces qui le dépassent et peuvent détruire son patrimoine. On est naturellement plus vindicatif face à la baisse qu'on est reconnaissant en profitant de la hausse.

Les moyens des sociétés sont limités face à ces mouvements. Ceux des actionnaires individuels sont dérisoires, parce que leur capacité de s'informer est moindre, que leur délai de réaction est forcément disproportionné face à des spéculateurs, que leur émiettement leur enlève tout poids réel. Par quels moyens « limiter les dégâts » à défaut de pouvoir inverser ces forces ?

Grâce aux associations d'actionnaires minoritaires? Sans doute. L'apparition en France de l'ANAF, de Déminor, de l'ADAM ou d'associations de salariés-actionnaires dans nos entreprises est saine. Il faut l'encourager. Mais il faut aussi, pour que ce ne soit pas un leurre, une opération de relations publiques sans lendemain, encourager leurs moyens et leur professionnalisme.

L'exemple en France de l'ADAM et de sa charismatique présidente, Mme Neuville, est l'illustration de cette ambiguïté. Elle a pu se servir de la notoriété de Vivendi Universal et de notre surmédiatisation pour assurer sa propre promotion. En attaquant systématiquement le groupe sur chacune de ses opérations avec une stratégie bien au point : ne rien demander à la société, ne pas l'interroger, ne pas demander à être reçue ou à recevoir des explications, mais rédiger une lettre – fondée ou pas, peu importe –, la communiquer à la presse avant de l'envoyer à l'entreprise et donner des interviews avant que cette lettre n'ait été reçue par la société. Effet maximum garanti. Les médias se précipitent sur David contre Goliath. Et la réponse est d'autant plus faible que la société ne sait pas ce qui lui est reproché! Ce qui est bon pour l'ADAM l'est-il autant pour le petit porteur?

Ces dernières années, elle a attaqué Vivendi Universal en justice cinq fois... et perdu cinq fois! Mais qui le sait et qui le dit?

De la même manière qu'il est de l'intérêt des entreprises d'avoir des syndicats forts, il est de leur intérêt de voir une représentation des actionnaires individuels forte, pour autant qu'elle soit professionnelle, constructive et non obstructive.

Il faut aider des associations de ce type à renforcer leurs moyens financiers, à avoir la capacité de s'entourer des meilleurs conseils légaux ou comptables. La superficialité ou le caractère erroné ou non professionnel de certaines de leurs analyses ne rend, finalement, service à personne.

Mais leur mode de fonctionnement doit changer aussi. Privilégier le contact et la discussion de fond sur le bruit médiatique. Se concentrer sur les préoccupations les plus graves des actionnaires, notamment en matière d'éthique, et non succomber à la tentation du harcèlement. De ce point de vue, Deminor en France mené par Fabrice Remon est sans doute un excellent exemple. Sans concession, mais plus préoccupé du fond que des médias. Au bénéfice des actionnaires qu'il défend.

Dans les années à venir, se jouera l'équilibre des relations entre entreprises et actionnaires. Va-t-il s'organiser de lui-même, autour d'une vraie gouvernance acceptée et partagée ou allons-nous assister à un nouvel épisode de judiciarisation ? À la mode américaine où les *class actions*, les actions en justice contre les entreprises pour obtenir une indemnisation à tout propos, sont devenues un *business* en soi.

Est-ce vraiment le but ultime du capitalisme ? Et celui de la justice ? Est-ce le meilleur moyen de focaliser les dirigeants sur leur responsabilité opérationnelle ? De défendre les actionnaires ? Entre traquer et réprimer les excès d'un côté, et judiciariser la vie de l'entreprise et ses décisions de l'autre, il y a un gouffre. Il appartiendra aux actionnaires comme à notre société de définir les limites.

La gestion de l'entreprise doit, bien entendu, être soumise aux actionnaires et à leur sanction qui va jusqu'au changement de l'équipe dirigeante. Mais la responsabilité de la décision, l'appréciation complexe des données stratégiques, financières, industrielles, opérationnelles, légales, humaines, de marché ne peuvent appartenir qu'aux dirigeants sous le contrôle régulier du conseil.

Le rôle du conseil est, bien entendu, essentiel pour les actionnaires. Faut-il une majorité d'administrateurs indépendants n'ayant de lien ni avec l'entreprise, ni avec ses métiers? On y gagne peut-être en liberté de jugement, on y perd sûrement en pertinence des avis échangés.

Combien faut-il de conseils, de quelle durée, avec quel ordre du jour? Faut-il aller dans la voie américaine? Habitués à des conseils d'une journée, voire deux jours. Mais avec un formalisme légal extrême : on a parfois le sentiment, dans des conseils américains, que le fond n'est pas essentiel si le formalisme juridique est respecté. Avec un degré de détail qui confine à la confusion des rôles : qui gère?

Là encore, les hommes, leur courage sont sans doute encore plus déterminants que les règles de gouvernance.

Comment s'assurer vis-à-vis de la masse des actionnaires individuels du bon fonctionnement du conseil, de ses règles internes, du contenu de ses réflexions et décisions? Aucune charte n'y parviendra jamais.

Les contrôles des comités de conseil, le contrôle des autorités de marché, les exigences des investisseurs sont autant de garde-fous. Mais pourquoi diable, à défaut d'initiative prise par les sociétés, les actionnaires individuels ou les associations les représentant ne prennent-elles pas l'initiative de s'engager, de proposer au moins un candidat au conseil émanant de leurs rangs? On ne peut dire, comme Mme Neuville : « Je souhaite savoir comment fonctionnent les conseils, mais ne pas y participer. » Il faut choisir.

Je souhaite ardemment qu'une large part de l'hypocrisie actuelle tombe!

Avoir un million d'actionnaires individuels, c'est une responsabilité particulièrement lourde, surtout dans ces périodes de marchés troublées, déprimées. J'ai une haute conscience de ne pas être propriétaire. Les actionnaires le sont et je n'ai été que leur salarié. Je préfère leur contact, l'échange avec eux sur leurs insatisfactions ou leurs critiques aux manœuvres de couloir.

C'est à eux que je souhaite dire combien je suis conscient des drames et des doutes créés par le niveau actuel des marchés, par celui de notre cours de bourse, par les incertitudes qui nous environnent. C'est à eux que je souhaite dire que la valeur des actifs rassemblés et organisés en cohérence, que la qualité des équipes et des performances opérationnelles, que la position de leader du groupe sont des atouts qu'aucune crise boursière ne parviendra à anéantir. Que vive Vivendi Universal. Que les marchés dans leurs excès finiront par retrouver des repères et par récompenser les forces du groupe.

Que mon souhait le plus cher, pour eux tous, pour leur fidélité et leur engagement est que l'appréciation de la valeur de notre action revienne à des niveaux plus réalistes.

Chapitre XIII
Quel avenir pour Vivendi Universal?

« To get to second base, one must take
their foot off first. »

Anonyme

« Courage, fuyons! » Selon nombre d'observateurs
extérieurs connaissant peu Vivendi Universal et encore
moins ses métiers de contenu et de création, l'idéal serait
de renoncer à l'ambition de bâtir un groupe français leader mondial des métiers de la communication, et de revenir à l'ancien Vivendi, celui d'avant les mouvements
majeurs de 2000. En clair, l'environnement plus Cegetel;
un bon vieux conglomérat, bien de chez nous, à la française. C'était la thèse « Bébéar-Lachmann ».

Agir ainsi serait non seulement un non-sens, mais
entraînerait, pour l'actionnaire de Vivendi Universal, un
coût impressionnant! Qu'est, en cette fin d'année 2002,
Vivendi Universal? Un groupe de médias, avec des positions de leadership mondial dans des métiers clés :

musique, cinéma, télévision, jeux, éducation et littérature. Bien qu'ayant leurs défis propres (comme la protection de la propriété intellectuelle et la lutte contre le piratage), ces métiers sont – à la seule et notable exception de Canal+ – très profitables et génèrent un cash flow disponible important. Ils connaissent les risques propres à tout métier de création : l'extrême importance de quelques hommes, de quelques talents clés et l'incertitude relative au succès de chaque création. Ce risque est toutefois diminué par la configuration même de Vivendi Universal, du fait de la variété des métiers de contenu, du nombre élevé de productions, de la diversité des implantations géographiques et de l'importance des parts de marché détenues.

Le cinéma est souvent cité comme l'exemple type du métier risqué – et il l'est bien sûr – en raison du coût de chaque film et du petit nombre de films produits chaque année (entre 15 et 20 pour Universal). Mais le cinéma ne représente en réalité que 10 % du chiffre d'affaires médias. Et ce risque se maîtrise de mieux en mieux grâce aux pré-financements, à la priorité donnée aux « suites » (moins risquées) et au développement de franchises. Un risque sécurisé au demeurant par la qualité de l'équipe qui entoure Ron Meyer et Stacey Snider. Sans oublier le développement fulgurant des ventes de DVD qui donne au groupe un complément de revenus et une meilleure prévisibilité. Les ventes de DVD progressent en effet de 30 % à 40 % par an et elles sont de plus en plus nourries par l'exploitation du patrimoine de films anciens, qui s'ajoutent donc aux productions nouvelles.

Globalement, ces activités de contenu représentent, hors Canal+, un chiffre d'affaires de 15 milliards d'euros en 2002. Elles sont présentes au niveau mondial et plutôt équilibrées entre les États-Unis (45 %) et l'Europe (45 %). Leur résultat d'exploitation dépasse les 3 milliards d'euros et leur cash flow disponible (avant impôts et frais financiers) tangente les 2 milliards d'euros environ. C'est un superbe groupe.

À cela s'ajoutent deux activités, l'environnement et les télécommunications, dont chacune n'est contrôlée qu'à un peu plus de 40 %, une solution qui ne peut être durable. Pourquoi ? Cela signifie d'une part que le coût de financement de ces participations (vendues, elles allégeraient considérablement la dette) est supérieur aux dividendes qu'elles rapportent, ce qui n'est pas bon pour l'actionnaire. D'autre part que le groupe ne peut pas réellement accéder à leur cash flow, ce qui rend plus délicate la gestion financière de l'ensemble. Conclusion : il faut, avec le temps et sans doute d'ici 2003, soit trancher dans le sens de la vente afin d'alléger la dette créancière, soit aller dans le sens du plein contrôle pour bénéficier du cash flow.

D'un point de vue financier, il est facile de faire la différence entre l'environnement et les télécoms. Les beaux métiers de l'environnement demandent beaucoup d'investissements, produisent des marges faibles (moitié des médias) et ne génèrent aucun cash disponible après croissance. En revanche, ils offrent stabilité et prévisibilité. Quant aux télécoms, métier également d'avenir et de croissance, ils offrent les meilleures marges (près de quatre fois celles de l'environnement) et dégagent beaucoup de cash flow disponible. Et cela devrait continuer ainsi au cours des prochaines années, malgré les investissements nécessaires au déploiement du réseau UMTS, cette troisième génération de mobiles qui donnera accès aux images. Ultime distinguo entre l'environnement et les télécoms : le premier est très endetté, le second, pas du tout.

L'environnement n'offre par ailleurs aucune synergie avec les médias. Il faut admettre que, s'agissant des télécoms, la convergence via les technologies haut débit est plus lente à intervenir que prévu (distribution télé par l'ADSL, services et contenus sur l'UMTS). Et que plusieurs années seront encore nécessaires avant de juger l'« importance » des synergies possibles avec les médias. En attendant, la production de cash est importante. Ajoutons, enfin, qu'aucune synergie, en dehors du mot « réseaux », n'existe entre environnement et télécoms. Pas même au niveau des fichiers-clients : collectivités locales et entreprises d'un côté pour l'environnement, consommateurs en direct et grand public d'un autre pour les télécoms.

Voilà pour le diagnostic. Il est simple. Il permet de définir les différentes stratégies.

Selon moi, la voie de la raison et de l'efficacité pour les actionnaires de Vivendi Universal se résume en une courte phrase : achever la transformation du groupe. En clair, libérer ces « deux champions en un » en cédant la participation que détient encore Vivendi Universal dans Vivendi Environnement. C'est possible en s'assurant de la permanence d'un contrôle « français ». Cela donne à ces métiers une autonomie et un plein accès aux marchés des capitaux. Et cela crée un groupe homogène dans les métiers de services concernés. Pour Vivendi Universal, la dette est alors considérablement réduite, l'image du conglomérat disparaît largement, et le groupe ne « perd » rien sur le plan financier puisque ces métiers de l'environnement ne rapportent qu'un dividende limité.

Les réserves et réticences formulées çà et là me paraissent irrationnelles. Elles sont liées à une méconnaissance de nos métiers de média. Quand elles ne masquent pas une grande sensibilité à l'environnement politique, qui tourne le dos à l'analyse de la valeur et à l'intérêt des actionnaires.

Autre avantage de cette opération forte : la prise de contrôle concomitante et complète de Cegetel permet de profiter des niveaux de valorisation extrêmement bas du marché actuellement. C'est une stratégie gagnante-gagnante. Elle permet de bénéficier tout de suite des résultats et du cash de Cegetel, d'avoir les moyens d'attendre quelques années pour bien apprécier les synergies effectives avec les métiers de contenus. Et, en tout état de cause, de créer de la valeur, immédiate et à terme, pour nos actionnaires.

Grâce à un tel cadre renouvelé, on peut en outre procéder à un examen détaillé dans les métiers de contenu pour peaufiner la stratégie du groupe. Faut-il ou non être présent dans les plates-formes satellitaires ? Si oui, où ? Faut-il être présent, et sous quelle forme, dans les parcs à thème ? Les idées les plus originales ne manquent pas : Ferrari nous a proposé d'étudier en commun l'éventualité d'un tel parc en Italie !

Voilà la stratégie simple, lisible, à partir de laquelle le conseil serait bien inspiré de perdre ses inhibitions. Quelles sont les autres possibilités, sachant que le groupe doit réaliser, pour être parfaitement à l'aise, des cessions complémentaires de 3 à 5 milliards d'euros ?

La première autre possibilité consisterait à céder non pas l'environnement, mais tout ou partie du groupe Canal+. D'aucuns considèrent que cela serait « bien vu » des hommes politiques français. Or comme Canal+ présente la caractéristique d'avoir l'exploitation la plus difficile, céder la chaîne cryptée permettrait automatiquement de remplacer des pertes annuelles par de l'argent frais. Cela fait « du sens financier », à défaut de faire une stratégie.

Et, après tout, pourquoi ne pas céder la distribution de Canal+, en conservant des accords de partenariat et de distribution privilégiés avec les plates-formes satellitaires, comme Canal Satellite ou Sogecable en Espagne, et conserver, à l'image d'USA Network ou de Vivendi Universal Entertainement aux États-Unis, les seules activités de production cinéma et télé aux côtés de la chaîne premium? On renforcerait, encore un peu plus, la cohérence du groupe autour des contenus dans une logique française, européenne et globale.

Bien sûr, cette solution provoquerait un éclatement des activités de production et de distribution au sein du groupe Canal+. Mais qui croit encore, chez Canal+ ou au CSA, que le modèle « tout en un » imaginé lors de la création de la chaîne, en 1984, dans un environnement de monopole et d'offre limitée, soit encore viable? Qu'il est encore adapté à un espace télévisuel ouvert avec des centaines de chaînes en concurrence? Il est temps que Canal+, avec sa nouvelle équipe, retrouve sur le plan des programmes sa vraie capacité d'innovation et d'irrévérence. Mais en même temps, accepte de regarder en face la réalité de la concurrence et l'évolution des métiers.

La deuxième possibilité serait de céder Cegetel. En gardant l'environnement et Canal+. Mais comment diable faire le choix de céder l'actif valorisé au plus bas par les marchés aujourd'hui, celui qui génère le plus de cash et qui présente des synergies réelles à moyen terme? Ce serait un contresens à la fois stratégique et financier, en tout cas à court terme.

Un éventuel désengagement de Cegetel ne mériterait sans doute d'être considéré que si sa prise de contrôle complète (par rachat des minoritaires détenues par BT et SBC) se révélait totalement et définitivement impossible. Et encore, pas dans les conditions actuelles.

Aujourd'hui, Cegetel est à peu près le seul opérateur de télécoms européen non endetté, dont les marges figurent parmi les meilleures de son secteur, dont la part de marché se conforte régulièrement. En outre, Cegetel est à la pointe de l'introduction de nouveaux services aux consommateurs : musique, texto, information, etc. Cegetel mérite une prime que le marché ne lui reconnaît pas aujourd'hui, et fait les frais d'un état d'esprit général désespéré où l'on « jette les bébés avec l'eau du bain » !

La troisième possibilité est celle du retour à la Générale des Eaux ou à Vivendi. Tentation de la facilité : on redonne aux Américains les métiers « pas sérieux » du cinéma et de la musique et on garde en France l'environnement avec le cash de Cegetel pour l'alimenter. C'est la voie qui a été « vendue » par certains aux politiques. Autant le dire haut et fort : ce serait l'éventualité la plus médiocre pour les actionnaires et la plus difficile – voire impossible – à justifier sérieusement. Cela reviendrait à reprendre un contrôle complet de l'environnement, en lui adjoignant Cegetel, et à « liquider » d'une manière ou d'une autre les métiers de création, de contenu, ceux-là mêmes qui donnent une chance formidable à notre pays et à l'Europe.

Commençons par les actionnaires. Cette option reviendrait à reprendre le contrôle de l'environnement, donc à payer, d'une façon ou d'une autre, une prime sur les métiers récemment introduits en bourse avec une décote. Parallèlement, le cœur contrôlé du groupe – celui des médias – serait cédé ou introduit en bourse sur la base de marchés effondrés (la valeur moyenne de toutes les valeurs de média dans le monde a été divisée par près de quatre en deux ans et n'est plus représentative de la croissance et de la profitabilité de ces métiers). Or ces métiers furent acquis avec une prime. La destruction de valeur pour l'actionnaire serait donc maximale et définitive. « Lock-in losses » disent les Américains (enfermer ou enregistrer les pertes). Une stratégie qui rendrait définitivement perdue la baisse de valeur pour les actionnaires. Absurde. Et pourquoi, diable, certains y pensent-ils ?

Au nom d'un retour en arrière et de l'abandon d'une vraie ambition que rien ne justifie.

Les métiers de la communication et de la création sont l'une des industries clés de ce siècle. Ils sont historiquement dominés par des groupes d'origine américaine. Dès lors, comment justifier, vis-à-vis de l'avenir, que l'on abandonne sans autre forme de procès cette chance pour la France et pour l'Europe.

Les chances que l'Europe et sa diversité donnent naissance à un groupe de communication capable de rivaliser avec les Américains au niveau mondial seraient réduites au strict minimum. Et même à une seule chance : Bertelsmann, le groupe allemand qui fut jusqu'au mois d'août dirigé par Thomas Middelhoff dont j'ai partagé nombre de visions.

Voulons-nous vraiment empêcher la France et l'Europe d'exister dans cette industrie clé ? Voulons-nous laisser la place à nos seuls amis allemands ? Dans cette hypothèse, il faut le dire et en assumer le choix sans s'en cacher les conséquences.

La partie ne serait pas perdue pour tout le monde ! Bien des intérêts américains, y compris parmi des groupes ou familles actionnaires de Vivendi Universal, sont d'ores et déjà à l'affût et sont prêts à se « dévouer » pour nous rendre ce « service » !

Enfin, quelle cohérence y aurait-il si l'on revenait à une étape intermédiaire, celle d'un conglomérat réunissant les deux métiers offrant le moins de synergies et qui ne sont pas contrôlés aujourd'hui? Tout cela au détriment des actionnaires, de l'ambition industrielle!...

Et avec quelle finalité? Réduire les télécoms à un rôle de pourvoyeur de cash pour financer une croissance rapide de l'environnement, sans avoir à se poser la question du retour sur investissement pour les actionnaires? Ni de l'optimum à trouver entre le rythme de croissance et la recherche de résultats financiers?

Bref, il nous reste à espérer que ceux qui ont en charge la réflexion stratégique du groupe pèseront mûrement ces choix, avant de se précipiter vers une issue, peut-être séduisante sur le papier, qui soit castratrice de valeur et d'ambition.

Je ne suis plus en charge. Les choix de l'après ne m'appartiennent donc plus. Mais il fallait recadrer les enjeux, les tentations et les risques. Le meilleur avenir de Vivendi Universal est celui d'un talentueux groupe de communication. Sans hésitation!

Chapitre XIV
Le capitalisme menacé d'implosion

« La démocratie est le pire des régimes...
à l'exception de tous les autres. »
Sir Winston Churchill.

Le siècle précédent avait attendu près de trente ans – 1929 – , pour connaître une crise financière majeure, caractérisée par une déflation terrible de la plupart des économies qui avait provoqué son lot de faillites, de chômage et de pauvreté.

Le XXIᵉ siècle, celui de l'internet, du « tout va vite partout », n'aura pas attendu aussi longtemps pour connaître une crise majeure. À vrai dire, celle-ci fut quasi immédiate.

Après l'effondrement des régimes totalitaires et communistes, le capitalisme et le libéralisme demeurent la seule référence planétaire, le seul modèle viable. Mais ils sont minés par l'ouverture et la fragilité de nos sociétés, à la merci d'actes terroristes aux conséquences de plus en plus lourdes. Ils le sont également par les déviances individuelles ou collectives : corruption, blanchiment, enrichissement sans cause, conflits d'intérêt. Les marchés règnent en maîtres. Absolus ou quasi absolus. Par bien des aspects (volatilité, rythme des retournements, ampleur des excès à la hausse comme à la baisse, part croissante faite aux acteurs purement spéculatifs), les marchés sont devenus fous.

Drôle de tableau. Un capitalisme sans rival mais rongé de l'intérieur comme de l'extérieur. Des marchés financiers tout-puissants mais devenus incontrôlables. Le capitalisme semble menacé d'implosion. Saurons-nous tirer les bonnes leçons de cette crise sans précédent ? Saurons-nous « penser différemment » le capitalisme avant qu'il ne soit trop tard ? Quelles mesures faut-il prendre pour restaurer la confiance et rendre sa raison au capitalisme mondial ?

Le constat est hélas facile à dresser. Il dépasse largement la théorie traditionnelle des cycles, qui décrit une succession de hausses et de baisses de l'activité. Le capitalisme est sérieusement menacé de l'intérieur, par :

– *Des marchés qui n'ont plus « raison tous les jours »*. De par leurs écarts brutaux à la hausse et à la baisse, ces marchés caractérisés par une extrême volatilité ressemblent désormais à une voiture folle, comme entrée en « résonance », qui se balance de plus en plus fort d'un côté à l'autre de la route en attendant l'accident inévitable. Un coup de frein brutal, et c'est le tonneau assuré. Ne rien faire, c'est accroître l'amplitude du mouvement jusqu'à l'écrasement final. Le seul moyen de reprendre le contrôle reste de retrouver l'adhérence au sol – le retour à la réalité de l'activité, celle de l'entreprise – en réduisant sa vitesse. Un exercice qu'on imagine périlleux.

– *La perte durable de la confiance,* base depuis l'Antiquité de tout acte de commerce (selon laquelle chacun livrera la contrepartie à laquelle il s'engage). Cette confiance connaît une crise systémique majeure. Nous sommes entrés dans une période d'incertitude absolue qui amène les uns et les autres, par un réflexe moutonnier, à réagir au jour le jour, en oubliant toute vision de long terme. À cela s'ajoute une perte de confiance dans la base essentielle du capitalisme : le profit. Dans la qualité, la véracité des comptes. Dans les comportements des dirigeants d'entreprise. Cette crise se résume ainsi : si je ne peux plus croire aux profits, alors je n'ai plus aucun repère pour valoriser une transaction ou une action. Le socle se dérobe sous les pieds du capitalisme. Un capitalisme opaque se meurt, grugé par ses propres « hérauts ».

– *La spéculation prend alors naturellement le dessus.* C'est ce qui se passe à l'heure actuelle avec les *hedge funds* qui spéculent sur des valeurs qu'ils ne possèdent pas, qui vendent et achètent non pas des actions représentatives d'une activité réelle d'une entreprise, mais des anticipations de hausse et aujourd'hui de baisse des cours. « Sans opposition, jusqu'où pouvons-nous faire baisser telle ou telle valeur fragile avant d'arriver à un niveau tellement absurde que notre risque augmente ? » : telle est leur seule préoccupation. Sans aucun fondement économique. Leur jeu est déconnecté de la valeur de l'entreprise. Ils sont à la fois parieurs et croupiers. Dangereux !

Leur poids prépondérant dans les marchés, aujourd'hui, dénature ceux-ci. L'essentiel de l'activité et des gains est réalisé sur la volatilité, les écarts et non plus sur la valeur. Ce n'est plus un marché d'acheteurs et de vendeurs mais un combat entre, d'un côté des entreprises et des investisseurs à long terme et d'un autre, des spéculateurs court terme. C'est un combat à armes inégales. Aucune entreprise ne peut espérer, par la régularisation de ses propres actions, avoir le moindre impact significatif ou même « punitif » face à ces fonds disposant de moyens d'autant plus puissants qu'ils sont largement « virtuels » (on vend ce que l'on n'a pas, on l'achète plus tard à un cours plus bas et on recommence).

Face à cette machine infernale, les actionnaires individuels, les ménages, se sentent « ballottés », voire « menacés ». En période d'excès à la hausse, on leur fait croire au mirage. En période d'excès à la baisse, ils sont prisonniers et directement touchés dans leur épargne.

C'est ainsi que, peut-être pour la première fois, apparaît une déconnexion profonde entre la reprise des marchés et la croissance économique. La reprise des marchés précède généralement celle de l'économie. Ce n'est plus le cas. Parce que le poids spéculatif domine. Parce que faute de confiance, les « vrais » investisseurs (ceux dont la notion de temps correspond à celle de l'entreprise) s'abstiennent. La persistance de cette déconnexion créerait en elle-même un risque déflationniste et dépressif supplémentaire sur nos économies.

— *Les conflits d'intérêt* dont la montée en puissance traduit un recul parallèle des bases éthiques de l'activité capitalistique. Conflits entre les intérêts patrimoniaux de certains dirigeants et ceux des actionnaires. Faute de contrôle par les conseils ou les marchés. Sans doute. A cause aussi d'un affaiblissement moral, éthique, des valeurs qui guident l'action de certains dirigeants. Mais aussi conflits d'intérêt liés à l'apparition puis à la domination de quelques banques d'investissements, mastodontes, adeptes du « one stop shopping » (tous les services à un seul guichet en quelque sorte). Leur principal argument commercial : nous faisons tout, l'analyse et la recherche, la recommandation des titres aux investisseurs et le placement, les prêts commerciaux et les opérations en capital, le conseil en fusions-acquisitions et même parfois les *hedge-funds* internes. Mais le « tout en un » d'argument commercial se transforme en réalité en conflits d'intérêt importés chez le client, en scandales liés à des comportements d'initiés, de favoritisme dont on n'a, semble-t-il, pas fini de voir la révélation.

– *Les excès de « précaution »* à l'image des agences de notation qui, face aux risques qu'elles encourent de par leurs conseils, leurs notes et quelques erreurs, ont décidé de se couvrir par anticipation. Amenant à des décisions parfois irresponsables vis-à-vis des entreprises concernées. Rappelant que le principe de précaution, fort utile en théorie, peut, poussé à l'excès, devenir synonyme d'irresponsabilité.

– *Le « tout-judiciaire ».* La judiciarisation complète de la vie de l'entreprise, de ses relations avec les actionnaires, achève de dénaturer le marché. Le formalisme juridique absolu qui entoure tout acte des entreprises, toute évolution des cours est en effet – poussé à son paroxysme actuel – une incitation au gel des initiatives. Mieux vaut ne rien faire que de prendre un risque juridique sur une action étalée sur plusieurs années, avec un coût élevé, même sans fondement. C'est le gel par la judiciarisation du risque d'entrepreneur. De la même manière, ce recours systématique au procès devient un substitut au marché. En période de baisse des marchés, de baisse des actions, on assiste à une floraison quasi-tropicale de procès des actionnaires, dits *class actions* en américain.

Si le marché baisse, si « je » me sens impuissant en face, au moins « je » vais introduire un procès – au cas où

certaines fautes même floues auraient été commises –
pour récupérer la part de l'entreprise, par voie de jugement, une partie de ce que le marché m'a fait perdre –
quitte par là même à mettre en péril l'activité de l'entreprise. Et l'avocat – certaines firmes américaines,
approchent le millier de procès ainsi introduits de façon
mécaniste – se sert au passage. La tentation du juge de se
substituer au *business judgement*, au « jugement des
affaires » au moment de prendre une décision avec un
risque et un risque d'erreur forcément, ne peut en parallèle que conduire également au gel de l'initiative, à
l'étouffement du risque d'entrepreneur au profit d'une
gestion « passive » et légaliste.

Le capitalisme menacé d'implosion, de mort ? Il ne
faut pas sous-estimer les capacités formidables d'adapta-
tion du capitalisme qui lui ont permis jusqu'à présent de
se réformer chaque fois et autant que nécessaire. Mais les
« assassins » du capitalisme appartiennent aujourd'hui à
son propre camp. L'indélicatesse de certains dirigeants,
l'irresponsabilité ressentie de certaines décisions des
agences de notation, la multiplication des conflits d'intérêts au sein du secteur financier, la force des *hedge funds*
sont autant de risques majeurs, « d'assassins en puissance ». Et certaines de leurs armes sont de « destruction
massive » par le volume de leurs moyens, largement
déconnecté de l'activité réelle. Attention danger ! Jamais
les risques n'ont été aussi grands. Et prenons garde à aller
au fond des problèmes, pas à leur surface médiatique si
l'on souhaite empêcher cette implosion.

Voici douze pistes, douze propositions pour faire face.

1. Des sanctions : oui, mais sans « maccarthysme »

Bien sûr, il faut des sanctions lourdes, appliquées de façon exemplaire, contre les fraudes des entreprises ou des dirigeants à leur profit ou au profit d'un petit nombre. Mais en évitant plusieurs pièges.

Le piège du « bouc émissaire » ou de « l'arbre qui cache la forêt ». Quand on lit certaines déclarations du président Bush par exemple : « Et je dis aux dirigeants qui ont gonflé leur chiffre d'affaires, leurs comptes, qui se sont enrichis sur le dos de leurs actionnaires et les ont trompés : nous vous retrouverons et nous vous punirons », on applaudit des deux mains... dans un premier temps !

Et ensuite, l'on se dit : attention au « maccarthysme », générateur d'amalgames. Oui, il y a quelques exemples frauduleux mais qui ne reflètent pas le soin avec lequel la très grande majorité des entreprises sont gérées, pas plus que le comportement le plus souvent exemplaire de leurs dirigeants. Et le problème du capitalisme ne se limite pas à la fraude ! Attention, donc, à la réaction : « Tous pourris ». On en connaît les effets dévastateurs et surtout la longueur de réaction qu'elle entraîne. Au lieu de restaurer la confiance, elle la délite pour une génération.

Il ne faut pas non plus se contenter de dire : si l'on a traité le problème du comportement de quelques dirigeants et ravaudé la façade du « gouvernement d'entreprise », alors le nécessaire a été fait.

Il faut absolument établir une différenciation entre les cas qui méritent vraiment des sanctions lourdes et ceux qui doivent plus aux marchés qu'aux hommes, aux risques qu'aux fautes. Faute de quoi, non seulement on ne traitera pas au fond le problème du capitalisme, mais on laissera se développer les principaux germes infectés. Au bout du compte, il deviendrait très difficile de recruter des dirigeants et des administrateurs de qualité. L'appauvrissement des recrutements serait comparable à celui du personnel politique dans de nombreux pays. La prime irait au « gel légal » de toute initiative, de tout risque d'entrepreneur.

Avec, finalement, une moindre richesse nationale créée.

2. Tuer les paradis fiscaux, enfin!

Il faut que les nations du monde s'entendent et aient enfin le courage de déclarer la guerre aux paradis fiscaux et de les interdire. Tous les moyens de pression ou de compensation vis-à-vis des pays concernés sont bons pour cela.

Curieux, penserez-vous, de quasiment commencer la liste des « remèdes » par cette proposition? La meilleure réponse au déficit de confiance, c'est l'information et la transparence. On saura bientôt non seulement combien un dirigeant gagne mais où il achète ses costumes et comment il les paye! Mais ce gigantesque effort de transparence, partout dans le monde, dans toutes les entreprises ou organisations s'arrête aux portes des paradis fiscaux.

On détaille les frais de représentation d'une entreprise mais on est incapable de lutter contre le blanchiment des capitaux qui virent du noir au rose dans ces îles opaques. On vérifie l'exercice des options ou les comptes bancaires nationaux d'un dirigeant mais on est incapable de suivre la trace des commissions faramineuses qui transitent par ces paradis fiscaux et y sont dispersées auprès de différents bénéficiaires en toute impunité ou presque. Toute enquête transitant par ces « paradis », secret national ou bancaire confondus, devient inutilement longue, aléatoire. On cherche toutes les informations pour lutter contre le terrorisme dans chacun de nos pays mais on se casse les dents sur leurs ressources financières, leurs financements, blanchis tranquillement au soleil de ces paradis fiscaux.

Blanchiment, commissions, terrorisme. Comment restaurer de manière décisive la confiance dans le capitalisme en n'osant pas s'attaquer à ce qui est un peu au-delà du pas de notre porte ? L'abolition des paradis fiscaux est bien la première des mesures indispensables de salubrité du capitalisme.

3. Traquer le délit de rumeur

Le lancement de rumeurs sur les marchés ou par presse interposée est devenu le moyen privilégié de certains fonds spéculatifs. Le temps de réagir à la rumeur, le mal est fait.

Bien sûr les rumeurs touchent en priorité les entreprises fragilisées, pour une raison ou pour une autre. Elles tournent. Mais leurs conséquences financières dans des marchés délaissés par les investisseurs de long terme comme leur impact sur la réputation des entreprises ou des hommes sont ravageurs.

Peu d'enquêtes de marché se préoccupent réellement de remonter vers les rumeurs et leurs initiateurs. Et encore moins aboutissent.

Quant aux médias, ils ont d'abord pu faire passer l'idée que les attaquer, c'est attaquer la « liberté de la presse », son indépendance. Ensuite les jugements de dommages et intérêts en raison de diffamation ou de propagation de rumeurs infondées sont ridiculement faibles. Ils n'ont donc aucun effet dissuasif en face des intérêts en jeu. Le prix de l'indépendance et de la liberté, c'est la responsabilité.

L'arsenal civil et pénal sur le « délit de rumeur » doit être considéré comme une priorité. Les enquêtes des autorités de marché aussi. La mise en cause de la responsabilité des médias également.

4. Veiller à l'indépendance des contrôleurs

Nombre de scandales de ces derniers mois ont eu pour origine le comportement, ou la couverture de fraudes, par les auditeurs pourtant chargés de surveiller la fiabilité et la régularité des comptes. Andersen a payé ses fautes de la vie même de l'entreprise, qui a disparu en quelques mois seulement avec ses quatre-vingt mille employés, après le scandale Enron. Et, pourtant, la faute de quelques individus au Texas ne signifiait pas la culpabilité de tous les collaborateurs dans le monde. Aucun cabinet d'auditeur n'est à l'abri et tous ont été « pris » dans des problèmes analogues de « commissions » avec les entreprises, de souplesses excessives dans l'application des normes comptables ou d'erreurs, volontaires ou non, dans l'établissement des comptes.

On parle de création d'autorités de contrôle, de régulation des auditeurs. Tant mieux. Mais cela suppose d'ajouter un étage supplémentaire dans l'édifice des organismes de contrôle. Je ne traiterai pas ici des problèmes de formation ou de concentration du secteur mais seulement de cette règle simple : un contrôleur est, par principe, indépendant. D'où deux règles simples.

– Interdire aux auditeurs toute activité de conseil.

Cela permet d'éviter de gonfler leurs intérêts avec un client et surtout d'éviter la tentation d'être « souple » sur l'audit pour garder ou augmenter son chiffre d'affaires conseil. Mieux vaut se couper un bras que de disparaître !

– Imposer à toute société cotée d'avoir deux auditeurs, dont aucun ne puisse faire plus de deux mandats de quatre ans, en mandats « alternés », l'un effectuant son second mandat quand l'autre fait son premier.

Les conséquences seraient simples. Aucun auditeur ne pouvant espérer être « prolongé » auprès d'une société au-delà de huit ans, les « tentations » de souplesse excessive pour conserver plus longtemps un client important disparaissent. L' « alternance » permet de s'appuyer sur un auditeur présent depuis au moins quatre ans dans la société, renforçant ainsi le professionnalisme de l'audit et évitant d'avoir en permanence des auditeurs en phase d'apprentissage qui découvrent la société, ce qui est un gage d'inefficacité.

5. Revenir sur l'intégration des métiers financiers.

Cette question de l'indépendance, cruciale pour les auditeurs, sera forcément posée avec plus de brutalité encore aux banques d'investissement. D'abord pour ce qui concerne les relations entre les équipes d'analystes et les équipes de banques d'investissement : comment mieux garantir la fameuse « muraille de Chine » ? Ensuite entre les activités de banques d'affaires et de *hedge funds* : est-il légitime de conserver sous le même toit une activité de conseil et une activité de spéculation ? Même question pour les activités de banque commerciale et de conseil. On voit aujourd'hui des banques « monnayer » leur participation à des prêts, ce qui n'est jamais que leur métier, contre l'exigence de mandats de fusion-acquisition. Il y a quelques décennies, la loi américaine a permis cette intégration qui tourne aujourd'hui à la confusion. Il faudra sans doute ré-éclater les différentes missions, s'acheminer vers une « désintégration » des banques d'affaires et des *hedge funds*. Dans l'attente de mouvements majeurs, les « boutiques » avec des équipes de professionnels très spécialisés ont un grand avenir devant elles !...

6. Limiter l'activité des « hedge funds »

Le retour de la confiance dans les entreprises, les comptes, les dirigeants est indispensable. Mais si le sentiment que les marchés sont dirigés par les fonds les plus spéculatifs demeure, toute reprise durable est aléatoire, et toute confiance sera « réduite aux acquêts ». Quel que soit le côté choquant, en économie de marché, d'une limitation à la créativité des produits financiers et des intervenants, il faut contenir le poids et l'influence des *hedge funds*.

Une sévère limitation du rôle des fonds spéculatifs, par une augmentation drastique des règles prudentielles qui leur sont imposées, est indispensable au retour de la confiance longue.

7. *Limiter les « abus de pouvoir » des agences de notation*

L'absence de précaution n'est guère plus coupable que son excès. Les décisions des agences de notation arrivent aujourd'hui comme des coups de tonnerre aux conséquences parfois justifiées mais parfois aussi démesurées. Aujourd'hui, les agences sont passées de la précaution à l'hyper-précaution. C'est un comportement dévoyé. Et cela conduit à l'irresponsabilité. Il faut « réguler » les agences de notation, les contrôler, prévoir une procédure simplement plus contradictoire avant une décision dont les conséquences risquent de toucher immédiatement des milliers ou dizaines de milliers de salariés.

Pour un patron, « l'agence » reste un mystère. Parfois une rencontre avec deux ou trois analystes, et un mystère total sur les fameux « comités » qui prononcent la sanction de vie ou de mort sans même vous entendre.

Il faut qu'une autorité soit chargée du contrôle qualité (rigueur, équilibre des décisions) du travail des agences. Par ailleurs, une phase contradictoire ou une phase d'appel, courte et confidentielle, devrait pouvoir être demandée et obtenue par le chef d'entreprise. Systématiquement.

8. *Ramener la comptabilité à la raison*

Les marchés varient de façon extravagante à la hausse et à la baisse. Les entreprises qui en acquièrent d'autres le savent dans la mesure où elles doivent, tous les ans, voire tous les trimestres, ajuster la valeur de leurs acquisitions à la valeur du marché. En apparence, une solution raison-nable. En réalité, une aberration. D'abord parce que tous les actifs baissent avec le marché, qu'ils soient acquis ou développés. Vivendi Universal passe des provisions sur l'acquisition de Maroc Telecom mais pas sur Cegetel. La valeur des deux a, malgré leur réussite industrielle, baissé en parallèle avec le marché. L'une a été achetée, l'autre développée. Une provision sur l'une, pas sur l'autre. Mais pour l'actionnaire, ce sont bien les deux valeurs qui ont baissé à cause du marché et sont reflétées dans la baisse du prix de l'action VU.

À quoi cela rime-t-il ? D'abord, il y a une incertitude sur le niveau des provisions à passer. Le cash flow, c'est un chiffre précis, sûr ; la valeur, c'est une appréciation, une fourchette. On affecte donc les résultats des sociétés que l'on espère précis, rigoureux et exacts, d'incertitudes qui peuvent être supérieures à ces résultats.

Et puis si les marchés remontent, on ne va pas reprendre une partie des provisions constituées, pour res-ter « collés au marché », au risque d'être critiqués dans l'autre sens, c'est-à-dire de publier des résultats positifs artificiels, « non *cash* » tout aussi imprécis ? Mais si l'on ne corrige qu'à la baisse, les valeurs du bilan resteront irréalistes et on aura pénalisé pour rien les résultats précé-dents. Si l'on pousse la réglementation comptable actuelle au bout, on arrivera à des résultats aberrants dans lesquels, compte tenu de la volatilité des marchés, on verra tous les trimestres des résultats liés à ces ajustements permanents au marché, et avec fort peu, voire aucun rap-port, avec la réalité opérationnelle des métiers.

La volatilité diabolique des marchés est une plaie. Ne la transférons pas aux résultats des entreprises. La solu-tion ? Revenir à une règle simple : il faut imputer les survaleurs sur les fonds propres des sociétés dès l'acquisition d'une autre entreprise, tout en interdisant les fonds propres négatifs. Ainsi, les choses sont claires : la totalité des survaleurs réduira les fonds propres mais sans pénaliser ou biaiser les résultats opérationnels. Parallèlement, en interdisant les fonds propres négatifs, on limite les acquisitions qu'une société peut faire au niveau de ses fonds propres. C'est un bon garde-fou. Et l'on ne verrait plus des micro-sociétés acquérir des géants par des stratégies d'endettement un peu folles.

9. Définir de vrais standards internationaux de gouvernement d'entreprise

Il n'est pas besoin de rapports multiples et volumineux. On doit pouvoir s'en tenir à l'énoncé de quelques règles simples.

– Dissocier effectivement la fonction de président et celle de directeur général.

En cas de crise, y compris extérieure, les conflits d'agenda entre la responsabilité interne de gestion opérationnelle et celle, externe, de communication et de relations avec les actionnaires et les investisseurs deviennent de plus en plus intenables. PDG en temps calme : pas de problème ; président et directeur général dans une crise des marchés : inhumain.

– Une forte minorité d'administrateurs indépendants suffit, mais on devrait y prévoir de manière obligatoire la représentation des actionnaires individuels.

L'idée d'une majorité d'administrateurs indépendants est une fiction. Loin de professionnaliser les conseils, elle aboutirait à systématiser des conseils ne connaissant pas les critères du groupe concerné. Si l'on élimine des conseils : les gros actionnaires, les concurrents, les fournisseurs, les anciens, etc., on déresponsabilise. À l'ère de décisions de plus en plus complexes, seuls ceux ne connaissant pas en détail les métiers seraient « admissibles ». Une minorité (un tiers) de vrais indépendants suffit. Leur représentation à tous les comités du conseil est sage.

Il faut que parmi ces indépendants figure obligatoirement un administrateur représentant les actionnaires individuels (salariés mais aussi non-salariés). Dans ces temps d'absence de confiance et de difficulté d'information, cette mesure paraît seule de nature à rassurer les « petits », les « individuels », face aux « gros », aux « fonds ».

— Abaisser les seuils de « déclarations » obligatoires par les entreprises, en traitant uniformément bilan et hors-bilan, quitte à revenir à des résultats semestriels et non plus trimestriels. Fût-ce au prix d'un alourdissement considérable du travail, du volume et du coût des informations publiées, la confiance ne passera que par la perception de l'absence de « risques cachés ». Pour cela, hors-bilan et bilan doivent être mis sur un pied d'égalité. Gigantesque chantier, exigeant mais indispensable. Les risques « raccrochables » sont aussi importants que les risques « constatés ». Pour cela aussi, les seuils de déclarations doivent être abaissés. Sinon, le *discount* propre aux grands groupes persistera durablement. La perception d'un handicap lié à la taille demeurera une réalité permanente. Sur la base du raisonnement simple : « Par rapport à leur taille, qui nous garantit que tel ou tel groupe n'a pas un grand nombre de risques moyens, qui, pris ensemble, font en réalité peser un risque systémique sur l'entreprise ? »

Au moment même où l'effondrement de certains secteurs démontre la fragilité des stratégies *pure play* – c'est-à-dire ramener les entreprises à un seul métier, voire une seule catégorie de clients, ce qui, en cas de retournement du marché, crée des colosses aux pieds d'argile – il faut se donner les moyens pour permettre au marché d'apprécier à leur juste valeur les groupes plus larges, mais aussi souvent plus solides ou plus résistants à la conjoncture et à ses retournements. Cet effort colossal devrait peut-être s'accompagner d'un retour à une publication semestrielle et non plus trimestrielle. Une proposition paradoxale en apparence, car on peut penser que « tous les trimestres, c'est mieux et plus transparent que tous les six mois » ! En fait, c'est un faux-semblant si la qualité des publications progresse sensiblement. Et puis n'avons-nous pas atteint les limites du « court-termisme » des marchés par des publications incessantes accompagnées de sur-réactions de ces marchés, qui font largement oublier les tendances moyen/long terme des résultats, pourtant essentielles pour mettre une valeur sur une entreprise.

10. *Voter en Assemblée générale*

Comment certains investisseurs peuvent-ils se plaindre de dérapages, d'incertitudes concernant des sociétés dont ils sont actionnaires mais pour lesquelles, dans leurs statuts mêmes, ils s'interdisent parfois de participer aux AG et de voter ? Pour cela, il faut inciter les investisseurs institutionnels concernés à reconsidérer leurs statuts et à voter aux assemblées générales. Et faciliter – du côté de l'entreprise – le vote, y compris par internet pour en limiter les coûts.

11. *Aligner les intérêts des dirigeants et des actionnaires*

L'alignement des intérêts des dirigeants et des actionnaires est, au fond, plus important que le niveau de rémunération lui-même. Ce dernier est fonction d'éléments aussi peu rationnels que le prix de la responsabilité, la rareté ou pas de talents comparables et la compétition. Si l'on se ramène à l'essentiel et aux excès des années 90, il existe un moyen simple pour inciter à cet alignement.

– Limiter le recours aux stock-options par l'obligation de comptabiliser leur coût en résultat.

– En conditionner l'exercice pour les mandataires sociaux à des conditions de surperformances par rapport à leurs concurrents.

On ne peut pas demander aux entreprises de « s'autolimiter » spontanément. Il faut le leur imposer. Sinon, le risque est trop grand pour des entreprises de « talents » de voir par exemple les meilleurs d'entre eux « piqués » par des concurrents moins scrupuleux ou plus longs à s'ajuster. La passation du coût des stock-options en résultat est un élément modérateur – et moralisateur – puissant. Elle se heurtera à de nombreuses oppositions patronales. Il faut passer outre.

Quant aux principaux dirigeants, les mandataires sociaux, il faut et il est légitime qu'ils puissent devenir riches – par la voie de bonus ou d'options. Mais à condition d'avoir bien servi leurs actionnaires. Le critère? Ni le cours de bourse : quel dirigeant est responsable de la tendance haussière ou baissière des marchés? Ni la comparaison avec les indices boursiers : quel dirigeant est responsable de la « cote d'amour » – elle aussi très volatile –

des différents métiers par les marchés – un jour les cycliques, l'autre les technologiques, le troisième les valeurs de croissance, le quatrième celles de rendement... Le seul critère objectif, c'est celui de la comparaison avec un échantillon de compétiteurs, explicite et connu des actionnaires. Pour répondre à la seule question sur laquelle l'action des dirigeants peut avoir, dans la durée, une influence réelle : « Ai-je mieux fait, comme épargnant, d'investir mon épargne dans cette société plutôt que chez ses concurrents ? » Si la réponse est oui, alors l'enrichissement des dirigeants est légitime, ou en tout cas, explicable car aligné avec l'intérêt des actionnaires !

12. Instaurer, en résumé, une éthique simple, compréhensible et contrôlable

Au-delà, laissons à chaque entreprise et dirigeant le choix des moyens. Untel voudra s'entourer d'un « fou du roi », homme ou femme de confiance, au courant de tout et capable de poser candidement les « pourquoi » ou d'exprimer les « je ne comprends pas » ou les « si tu fais cela, je pense que c'est une bêtise majeure ».... Un autre voudra voir dans son conseil un véritable *shadow government* capable de passer au crible toutes ses décisions quitte à y passer une ou deux journées par mois... Il n'existe pas de recette miracle. Le choix individuel des dirigeants et leur *business judgment* – de leur responsabilité unique – doivent s'exprimer dans le respect d'une éthique simple et dans un cadre compréhensible et contrôlable que les suggestions précédentes ont tenté de définir. Tel est le prix à payer pour éviter l'implosion du capitalisme. Le monde, les entreprises, les investisseurs doivent accepter la facture... et pas à tempérament car l'urgence est grande !

Et le capitalisme français, dans tout cela ? Il ne manque ni d'idées, ni d'entrepreneurs, ni de réussites. Mais, reconnaissons-le, il est encore par bien des côtés à la fois victime de ce risque d'implosion et en permanence « entre deux eaux », à cause de cette incapacité de démêler politique et affaires. La crise d'adolescence de notre capitalisme n'est pas surmontée. « L'affaire Vivendi Universal » nous a même ramené en arrière d'une ou deux décennies.

Notre capitalisme est aussi entre deux eaux parce qu'à la fracture sociale ou digitale s'ajoute une fracture boursière. Celle qui passe entre l'actionnaire individuel, peu et mal informé, lent, et le fonds spéculatif hyper réactif, guidé par le profit immédiat et non la valeur des entreprises. Cet abîme est accentué par l'absence de fonds de pension dans notre pays, témoin de l'insuffisance et de la faiblesse structurelle du capitalisme français, en même temps qu'un réel handicap pour l'épargnant individuel qui se voit privé d'un outil essentiel pour tous les autres marchés. En somme, le capitalisme mérite ce jugement que Churchill avait porté sur la démocratie : « C'est le pire des régimes, à l'exception de tous les autres ! » Nouveau, la crise actuelle du capitalisme, c'est plus qu'une crise d'adolescence. Alors ne lésinons pas sur les moyens pour en sortir. Et ne lambinons pas...

Chapitre XV
La mondialisation : on y va quand même ?

> « I may be a dreamer. But I'm not the only one. »
>
> *Imagine*, John Lennon

Pourquoi élargir le champ à celui de la mondialisation ? Avec quelle légitimité ?

La légitimité est double. Comme chef d'entreprise, je sais que l'intérêt à long terme de l'entreprise est de travailler dans des pays en croissance harmonieuse. Que les soubresauts de la mondialisation et du développement, que les incertitudes et les ruptures sont dangereuses pour tous. Je sais encore que l'intérêt économique et le profit, s'ils sont le fondement de l'entreprise ne la résument pas. Sa dimension sociale et culturelle est tout aussi décisive.

Je suis frappé par le parallélisme existant entre les maux économiques, capitalistes, et ceux, plus diffus, de l'ensemble de nos sociétés. Je m'explique. J'ai beaucoup parlé du manque de confiance dans les marchés, dans l'avenir. Nous sommes aussi entrés dans une société de peurs, profondes, difficilement contrôlables : peur écologique, sécuritaire, culturelle.... À propos des agences de notation, j'évoquais les excès du « principe de précaution » vite transformé en irresponsabilité, en vitrine de Ponce Pilate. Il en va de même dans bien d'autres domaines, notamment sanitaires ou politiques. Quand le principe de précaution conduit à des décisions radicales dont la première des motivations est d'éviter toute responsabilité... pour le preneur de décisions, il y a dévoiement et danger.

Alors pour tirer les bénéfices de cette mondialisation, il faut d'abord en mesurer tous les freins, les résistances, les excès, se convaincre que : « Oui, on y va quand même. » Et puis s'interroger sur les moyens de combattre, concrètement, ces peurs et ces dérives.

Je suis intimement convaincu des bienfaits de la mondialisation, en termes de croissance et de richesses créées. Encore faut-il que ces « bénéfices » soient compris, perçus, palpables, accessibles. Or aujourd'hui, c'est l'inverse qui se produit.

Une majorité de pays s'enfonce dans la déprime. La mondialisation est en train de créer une société de peurs. Peur du terrorisme. Peur de la vache folle. Peur des marchés. Peur du réchauffement de la planète. Peur de la pauvreté. Peur de la perte d'identité culturelle. Peur pour le mode de vie de nos enfants. Peur du chômage. Peur du manque d'eau sur la planète. Peur de la révolte des pays sous-développés. Peur des atteintes à notre vie privée, à notre liberté (*Big Brother*). Peur du nucléaire. Peur de la manipulation génétique. Du clonage. Peur des armes chimiques...

Les peurs collectives ont toujours existé. Ce qui caractérise notre époque, c'est à la fois leur nombre, leur simultanéité dans le temps et dans l'espace. Pourquoi ? Pour trois raisons principales :

– La mondialisation produit une accélération des mutations que nombre de gens, parce qu'insuffisamment formés, ne sont pas prêts à suivre. Le nombre de « laissés pour compte » augmente vertigineusement faute d'une éducation ou d'un mode social adapté.

– Toute information, brute, est immédiatement diffusée, propagée sur la planète, dans ses moindres recoins. Il n'y a donc pas de recul. C'est l'événement qui prime et l'événement sortant de l'ordinaire, donc *a priori* choquant, ou violent, qui retient l'attention.

– Le traitement par les médias privilégie le spectaculaire et l'approximation, la généralisation et l'amalgame. Or, l'auditeur est conditionné par l'écoute, le téléspectateur par les images, le lecteur par les nouvelles. Si c'est arrivé quelque part, cela peut m'arriver à moi, demain.

Tout est donc réuni pour favoriser le développement de peurs irrationnelles et irrépressibles. *A fortiori* parce que, ces dernières années, les mauvaises nouvelles se sont succédé à un rythme infernal.

Le 11 septembre 2001, le jour où tout a basculé, le jour des symboles attaqués, la démonstration de la fragilité de nos sociétés, attaquables par surprise, au cœur de notre civilisation, faisant des milliers de morts. Chacun a peur du prochain choc à venir, du recours aux armes chimiques ou biologiques, capables de propager la mort ou, tout autant redoutées, la maladie et la souffrance qui leur sont associées. Ce terrorisme fait d'autant plus peur que l'on découvre brutalement que de local – cela se passait autrefois « chez eux » – il est devenu global – « chez nous ».

Cette fragilité se manifeste dans la propagation de peurs encore plus rapide que les épidémies elles-mêmes, comme l'a montré l'exemple de la vache folle. Peur encore, lorsque le monde entier s'inquiète du réchauffement de la planète. Perçu comme la conséquence du rythme de notre industrialisation et surtout de l'absence de contrôle sur les efforts menés en matière de pollution, il est difficilement contestable. Même si les cycles écologiques et climatiques sont longs, il est inutile d'attendre les désastres irréversibles. Ils sont d'ores et déjà identifiés : la concentration, au cours des vingt dernières années, de l'essentiel des périodes les plus chaudes du dernier millénaire, la fonte progressive des glaciers, l'augmentation des zones arides, la fréquence et la brutalité croissante des catastrophes climatiques, de *El Niño* aux crues millénaires de l'été 2002 en Europe centrale...

Mais comment agir quand on voit l'incapacité d'appliquer le protocole de Kyoto sur la limitation des effets de serre? La difficulté d'arbitrer entre des intérêts économiques ou industriels à court terme et ceux de la planète à un horizon de moyen terme? Comment arriver à des décisions globales bénéfiques quand celles-ci défavorisent d'importants intérêts nationaux et souverains? Et quels processus acceptables par l'immense majorité des pays démocratiques pour y parvenir?

D'autres inquiétudes sont personnelles, qui concernent notre mode de vie quotidien. Elles concernent notre besoin de sécurité et de liberté qu'il est parfois difficile de concilier. Ainsi, face au terrorisme global, faut-il privilégier la sécurité par l'enfermement, le repli sur soi, dresser des murs comme, naguère, à Berlin, entre les deux Corées, ou aujourd'hui entre Israël et la Cisjordanie? Peut-on enfermer durablement nos démocraties?

Même « combat » sur le plan de l'identité culturelle. Chacun est sensible au risque d' « uniformisation » potentiellement engendrée par la mondialisation, au travers de produits « aseptisés », diffusés par des réseaux de distribution planétaires et soutenus par des moyens de marketing aussi puissants que des « rouleaux compresseurs ». Plus trivialement, peut-on, aujourd'hui, échapper au *Titanic* ou au *Retour de la Momie*? Et comment identifier et préserver ses propres valeurs, individuelles ou collectives, nos racines locales et culturelles? En quelque sorte, la peur existe que le combat identitaire des populations indiennes ne devienne un jour celui de chacun d'entre nous.

Cette nouvelle société du risque, dans laquelle nous devons apprendre à vivre, mêle appréhensions anciennes et modernes. Non seulement elle n'a pas su éradiquer les anciennes peurs mais elle en créé de nouvelles. À la suite de la catastrophe de Tchernobyl, en 1987, un ouvrage visionnaire fut écrit par un sociologue allemand, Ulrich Beck. Publié récemment en français, cet ouvrage, intitulé *La société du risque* (Aubier – 2001), évoque brillamment cette nouvelle passion démocratique : la peur. Il fut commenté dans *Le Point* du 23 novembre 2001, deux mois après l'attentat contre les tours du World Trade Center à New York par Luc Ferry, aujourd'hui ministre français de l'Éducation. Cet ouvrage analyse les raisons pour lesquelles la peur est devenue un lien social dominant dans nos sociétés. En témoignent, au XVIIIᵉ siècle, les réactions face à certaines catastrophes, comme le tremblement de terre qui ravagea Lisbonne en 1755 et fit plusieurs milliers de morts. Mais on assistait en même temps à une réaction de confiance : face aux futurs progrès des sciences et des techniques, une telle catastrophe pourrait à l'avenir être évitée. L'esprit scientifique, pensait-on, allait nous sauver des « tyrannies de la matière brute ».

Aujourd'hui, le contexte a changé. Luc Ferry explique que « L'angoisse d'une mort qu'on feint de croire évitable se décline en une infinité de peurs nouvelles : alcool, tabac, vitesse, sexe, atome, téléphones portables, OGM, côtes de bœuf, clonage, effet de serre, nouvelles technologies et potentiellement des mille et une innovations diaboliques que nous réservent encore les artisans d'une " techno-science " mondialisée. Aux antipodes de l'optimisme des Lumières, nous ne décrivons plus ses avancées comme un progrès, mais comme une chute hors de quelque paradis perdu ».

La thèse du livre, à laquelle j'adhère pleinement, consiste à démontrer que l'on aurait tort de considérer ces peurs comme une simple « résistance au changement ». Nos sociétés ont pris conscience des risques engendrés par le développement et la mondialisation. Elles sont en même temps passées d'une conception autoritaire de la science – je domine la science qui m'aide à dominer la matière et la nature – à une situation dans laquelle le contrôle des usages et des effets de la science moderne nous échappe, où la puissance débridée de la science moderne inquiète.

L'idée de progrès scientifique en termes de liberté et de bonheur est ainsi balayée. Le parallélisme entre science et démocratie nationale se trouve également détruit. Dans un monde où science et démocratie visaient toutes deux les mêmes valeurs universelles, où les rôles sociaux et familiaux étaient figés, le rôle majeur des Etats était la production et le partage des richesses, nation par nation.

La rupture est grande. Ce n'est plus la nature qui engendre les ruptures majeures, mais la recherche scientifique et la production. Elles fournissent pour la première fois à l'homme les moyens de sa destruction globale. Comme le contrôle des usages échappe de plus en plus à chaque nation, les cadres politiques traditionnels deviennent soudain étriqués et s'accompagnent du sentiment qu'aucune « gouvemance mondiale » n'est en train de s'y substituer. Le nuage de Tchernobyl ne s'arrête pas par miracle aux frontières françaises, l'interdépendance économique s'accroît, l'utilisation d'armes de destruction massive redevient probable...

Il ne s'agit plus simplement, ici, de civisme et de « volonté » politique nationale. Les peurs prennent le dessus. Les anciens rôles sociaux sont remis en cause. Le partage des richesses tend à passer au second plan. La nécessité d'une solidarité nouvelle s'impose devant des risques d'autant plus menaçants qu'ils sont mondialisés et qu'ils échappent aux Etats et aux procédures démocratiques qui demeurent étroitement nationales.

Derrière toutes ces peurs, se pose la question du niveau de risque que notre société est prête à assumer et de notre capacité de gouverner le monde en surmontant quatre « contradictions » fondamentales.

– Comment gérer le passage du « local » au « global » et prendre les bonnes décisions en évitant de laisser mourir nos racines et nos identités ?

– Comment concilier le principe de précaution et la mise en cause de la responsabilité de toute décision sans geler les initiatives et le progrès ?

– Comment, dans notre société surmédiatisée, empêcher la généralisation d'amalgames dévastateurs (un bœuf malade et on ne mange plus de viande, un Enron fraudeur et « tous les patrons sont pourris ») ?

– Comment prendre en compte les intérêts du long terme dès lors que le fonctionnement économique et politique privilégie délibérément ceux du court terme ? Il faut changer notre « taux d'actualisation ».

La mondialisation, qu'on l'accepte ou qu'on la rejette, est là comme l'air qu'on respire. Dans ces conditions, comment en améliorer le fonctionnement ? Comment se protéger de ses excès ? Il faut, pour commencer, jeter les bases d'une gouvernance mondiale qui soit à la hauteur de ces défis. Évoquons quelques axes possibles de cette nouvelle gouvernance.

Premier axe : faire en sorte que le politique surmonte le tout économique.

Au fil du temps, l'ordre des facteurs s'est inversé. Regardons en Europe. Le Marché commun existe depuis bientôt cinquante ans. La monnaie unique, est en place depuis trois ans sur les marchés et bientôt un an dans les portefeuilles.

Mais l'Europe politique ? Il serait caricatural de dire qu'elle se résume à une bureaucratie bruxelloise, opaque, tatillonne et castratrice. Ce serait caricatural, car l'Union européenne a su réunir des équipes de qualité qui défendent correctement « nos » intérêts dans les enceintes internationales. Mais, en même temps, l'Europe s'est dotée d'un fonctionnement effectivement caricatural si l'on en juge par les effectifs pléthoriques qui encombrent les services bruxellois dont le comportement est terriblement bureaucratique. Il manque à ces derniers, au minimum, une volonté politique. On ne peut pas, en effet, dire aujourd'hui que l'Europe politique existe. Ni pour contrôler les services administratifs, ni pour parler d'une seule voix sur la scène internationale, ni pour prendre les décisions concrètes touchant la vie quotidienne de nos concitoyens.

Les discussions concernant l'élargissement de l'Union illustrent la réalité de ce ventre mou politique qu'est l'Europe. Bien sûr que l'Europe centrale a pour vocation à intégrer l'Union européenne. Un pas décisif vient d'ailleurs d'être franchi, début octobre, avec la publication par la Commission de Bruxelles, de la liste des dix pays aptes à rejoindre l'Union dès 2004, qui fera ainsi grandir celle-ci de quinze à vingt-cinq membres. On sait que les différences de niveau économique nécessitent des périodes de transition longues pour éviter une Europe à plusieurs vitesses. Mais que de temps et d'énergie ont été perdus à discuter à l'infini et sans réelle résolution sur les systèmes de vote à l'intérieur de l'Europe : combien de voix pour quels pays, quels systèmes sur quels sujets de majorité, super-majorité, mini-majorité ?

Cela plaide fortement pour la mise en place rapide d'une Europe fédérale, avec un président élu, seule représentation démocratique « ultime » susceptible de donner au système force et légitimité, mais aussi la capacité d'imposer une décision face aux résistances de tous bords. Avec des nations, les régions de l'Europe, qui soient largement autonomes dans les préoccupations de proximité, en matière de sécurité, de justice et d'éducation, autour d'un tronc commun étroit.

Au-delà de l'Europe, on devrait « imposer » aux responsables de chaque pays la participation obligatoire à certaines réunions mondiales, tels le sommet de la Terre ou la lutte contre le blanchiment.

Après tout, chaque fonction a ses obligations : un patron n'imaginerait pas manquer son conseil d'administration, un président élu ne devrait pas envisager de manquer les réunions où l'avenir de la planète et de sa sécurité se jouerait. Cela devrait faire partie d'un « contrat » au moment de l'élection. Il faut donc plus de politique.

Deuxième axe : convaincre que le développement durable est l'affaire de tous.

Les méfaits du terrorisme sont aussi les hoquets du développement. Combattre le terrorisme, mal absolu, est bien sûr une nécessité vitale. Mais loin d'être suffisante. L'onde de choc du 11 septembre nous concerne tous. Il faut se garder d'une illusion, grisante mais fausse : ce n'est pas parce que nous combattons le mal absolu que nous incarnons pour autant le bien absolu. N'y a-t-il pas eu parfois, dans l'attitude de nos sociétés modernes et occidentales, un abîme entre les pieux discours et la réalité des actes? Faisons-nous le meilleur usage de notre puissance et de notre richesse? Il faut s'interroger sans relâche sur ce qui pouvait, hier encore, paraître un peu rapidement comme des certitudes inébranlables : celle de la supériorité absolue de notre modèle et la certitude d'avoir raison seuls contre tous. Tout n'est peut-être pas universel dans nos valeurs. Les inégalités de développement et une certaine arrogance occidentale contribuent à faire le lit du terrorisme, à nourrir la haine de l'Occident et à irriguer les racines profondes qui ont rendu possible l'abominable tragédie du 11 septembre.

Si la mondialisation n'est perçue que comme une arme de guerre économique au profit des pays riches, si elle n'est pas porteuse de développement, elle continuera à susciter rancœur et violences de la part de tous ceux qui s'en sentent exclus, niés ou humiliés dans leur culture et dans leur personne. Elle sera à juste titre combattue de plus en plus violemment.

La remise en route de l'Histoire dans la bonne direction suppose un préalable, qui n'est pas mince : que cette fois, tous les peuples du monde y soient conviés. Soit nous continuons à vivre dans l'égoïsme et l'indifférence au monde qui nous entoure... et nous risquons de reculer de dix cases ; soit nous reconnaissons que nous devons désormais penser et agir différemment... et alors tout peut repartir dans le bon sens. À condition de se donner les moyens du développement durable de la planète, de toute la planète. Et c'est l'affaire de tous.

Responsables politiques, experts et intellectuels ont, jusqu'à présent, fait entendre leur voix et ont peu agi. Mais que dire des entreprises : on a peu entendu leur voix s'exprimer, même si cela commence heureusement à changer. Est-ce à dire qu'elles ne sont en rien concernées ? J'ai personnellement toujours considéré – même si cela est diversement interprété – qu'un dirigeant économique devait non seulement réfléchir mais aussi s'engager sur les grands enjeux de société, dont nos entreprises ne peuvent se désintéresser.

Plus les entreprises sont globales, plus leur sort est lié à la marche du monde et à la société civile. Et plus elles doivent en retour exercer leur responsabilité non seulement économique mais aussi sociale, environnementale, culturelle... Comment ne pas voir dans le 11 septembre, comme dans les accrocs de la mondialisation, un défi social et culturel de première importance ?

Les entreprises doivent notamment apprendre à travailler avec les ONG (Organisations non gouvernementales), non seulement parce qu'elles sont sur le terrain le meilleur baromètre social et culturel pour comprendre et combattre les peurs du quotidien, mais aussi parce que ce sont de bons relais d'exécution des politiques de développement dans les quartiers, les villages, les bidonvilles, de par leur connaissance des hommes et des femmes qui y vivent. C'est à ce prix que l'on retrouvera les ONG, non plus dans la rue pour manifester leur désespoir, mais sur le terrain, au travail pour effectuer ce travail de fourmi qu'est le développement durable.

Troisième axe : introduire un contre-pouvoir par la régulation.

Tout pouvoir a besoin de contre-pouvoir. La mondialisation a trouvé le sien dans le développement, bien durable lui, des mouvements citoyens anti-mondialisation. On ne saurait en rester là. D'autant plus qu'aujourd'hui si les pouvoirs sont contestés (les politiques, les patrons, les parents, les profs), les contre-pouvoirs sont eux aussi décrédibilisés. La régulation doit être le contre-pouvoir « organisé », sécrété par la mondialisation elle-même. À l'échelle de la planète, devenue totalement fluide pour le mouvement des biens et des capitaux, si ce n'est celui des hommes, des positions excessives ont toutefois été prises. Par exemple, dans l'exclusion de certains fournisseurs de matières premières ou agricoles si pénalisantes pour les pays en développement, ou à travers les spéculations de certains acteurs sur les marchés. « Notre » mondialisation n'a pas constitué à ce jour les « anticorps » suffisamment nombreux ou suffisamment forts.

Les régulations existantes sont totalement fragmentées, tentant de sauvegarder un pouvoir national au détriment d'une plus grande efficacité internationale. D'autres régulations, en matière de capitaux, sont visiblement inadaptées face à la puissance des acteurs de la spéculation.

Bref, la réforme de l'OMC (Organisation mondiale du commerce), l'internationalisation et le regroupement des autorités régulatrices (de la concurrence, par secteur industriel), la création d'une régulation des flux financiers les plus spéculatifs doivent devenir l'ordre du jour prioritaire de tous les sommets internationaux.

La mondialisation doit sécréter son propre anticorps grâce à une régulation adaptée et efficace.

Quatrième axe, enfin : accepter de vivre la diversité culturelle.

La mondialisation ne sera viable que si elle sait composer avec la diversité, s'enrichir, vivre la diversité sous toutes ses formes. Mondialisation ne doit pas rimer avec uniformisation. Le multiculturalisme doit pouvoir fonctionner. Au-delà du débat économique dominant, se profile en effet une autre inquiétude : que la mondialisation ne se transforme en une machine à broyer les cultures nationales ou régionales. Et que, sous l'influence de grands groupes, notamment de communication, de plus en plus « globaux », mondialisation ne signifie, notamment dans les pays européens, américanisation.

Ma philosophie personnelle m'incitera toujours à être un adepte enthousiaste de la diversité, du métissage et du multiculturalisme. J'ai, en outre, la conviction que ces valeurs sont déjà à l'œuvre. Moins, d'ailleurs, à cause de la mondialisation que précisément grâce à elle. Comme au temps de la Renaissance, qui vit circuler en Europe les hommes, les biens, les idées et les œuvres pour le plus grand profit de la civilisation, je crois qu'à l'échelle du monde, la période actuelle d'ouverture peut être extraordinairement féconde si nous le voulons assez.

« La culture est la langue commune de l'Europe » rappelait Fernand Braudel. La diversité est inscrite dans nos gènes, dans notre histoire, dans notre sensibilité naturelle. Nous savons en Europe que la culture ne sera jamais un « marché unique » où régneront des productions calibrées, identiques d'un pays à l'autre. Nous savons que l'on n'enseigne pas la littérature, l'histoire, ni même les mathématiques, de la même façon à Padoue, Brême ou Nantes. Nous savons à la fois défendre notre propre langue mais travailler en plusieurs langues, en nous adaptant aux sensibilités propres à chaque pays. L'extraordinaire sophistication culturelle et linguistique de l'Europe, enrichie depuis quelques années par le dégel de l'Europe de l'Est, n'a pas d'équivalent dans le monde. L'Europe dispose là d'un fabuleux atout, d'une réelle avance, face à des entreprises américaines de la communication restées majoritairement mono-culturelles en dépit du multiculturalisme croissant de la société américaine. Et cela, sans rien enlever à la créativité et au talent de la culture américaine.

Les peuples du monde ne profitent pas tous équitablement de la croissance et du développement. Et ils n'aspirent pas non plus à payer leur développement contre la promesse de vivre dans un modèle uniforme. Il s'agit d'une revendication légitime qui n'a aucune raison de devenir source de conflits interculturels, au contraire, dès lors que chacun apprend à connaître l'autre et à le respecter. Et s'il est du devoir des états de déclarer la guerre au terrorisme – même si l'action militaire ne suffit pas – notre devoir à nous, société civile, consiste à tout faire pour que l'avenir soit celui du dialogue des cultures et non celui de la guerre des civilisations.

De nombreuses élites, dans les pays en développement, rêvent d'être soutenues dans leur combat pour l'éducation ou la création culturelle, dans leurs projets... Aidons-les à faire entendre leur voix. Une foule de jeunes aspirent à construire leur propre modernité. Accueillons-les plus largement dans nos universités, dans nos entreprises. Élargissons nos recrutements, à tous les niveaux de nos hiérarchies, à des hommes et femmes venus d'autres horizons. Nul besoin de quotas pour cela. Seulement d'un peu de volonté pour accueillir, former, promouvoir.

L'horizon pour les générations à venir ne sera ni celui de l'hyper-domination américaine, ni celui de l'exception culturelle à la française, mais celui de la différence acceptée et respectée des cultures. « Culture-exception ? » Non, parce que l'exception exclut, et que l'exclusion est antinomique avec la culture. « Culture-domination ? » Non plus, parce que la culture porte mal l'uniforme et ne se laisse pas enrégimenter. Vivre la diversité culturelle sera une ardente obligation et l'un des enjeux les plus enthousiasmants pour nos enfants.

Nous rêvons, pour eux, d'un monde meilleur et nous tentons tous d'y apporter, à notre façon, notre pierre. Mais ils entrevoient le meilleur et le pire. Nous rêvons de paix, or le monde bascule dans une guerre sournoise, contre le terrorisme. Nous plaidons pour la tolérance et voici que surgit la dénonciation de boucs émissaires professionnels, ethniques ou religieux. Nous apprenons à nos enfants un monde d'amour, mais ils sentent monter la haine et les peurs. Nous leur enseignons le respect mutuel mais ne parvenons pas, ou si mal, à faire vivre cette diversité culturelle, symbole de la globalisation. Nous leur souhaitons une vie saine mais sommes incapables de contrer la montée des pollutions et des inégalités.

Faut-il « y aller » quand même, vers ce futur qui s'annonce menaçant, incertain ? Nous n'avons pas le choix. Alors autant être actifs.

Une nouvelle gouvernance mondiale est indispensable. C'est sûr. Mais il appartient aussi au fonctionnement démocratique de définir les priorités assignées aux politiques, une sorte de programme idéal pour le monde ! Un programme que, pour ma part, j'articulerais volontiers autour des 4 E : Éducation, Environnement, Éthique et « e ».

Voici donc quelques idées simples, fruit de mes expériences professionnelles et de mes convictions.

Éducation

Il n'est pas un pays au monde dans lequel on puisse considérer aujourd'hui le système éducatif comme étant globalement une vraie réussite. Souvent, plutôt que d'éduquer, on se préoccupe d'administrer l'administration de l'éducation !

Par ailleurs des centaines de millions d'enfants dans le monde n'ont pas accès à une véritable éducation. Comment faire à la fois comprendre et maîtriser ce monde déboussolé si la génération qui nous suit n'est, pour l'essentiel, pas dotée des outils de base permettant de s'intégrer dans nos sociétés. Nos élites peuvent être bien formées et elles le sont souvent en France, aux États-Unis ou en Chine. Tant mieux. Mais l'essentiel de la difficulté réside bien dans l'éducation de tous les enfants. Comment surmonter les peurs si l'on n'a pas reçu les moyens de les analyser, de les relativiser? Et comment apprendre à vivre la diversité, si les valeurs de respect mutuel n'ont pas été transmises?

Nous n'arrivons pas à éduquer nos enfants. C'est vrai du Brésil qui doit prendre en charge, chaque année, 50 millions d'enfants et ne dispose ni des professeurs formés, ni des livres.

C'est vrai des États-Unis. En Californie, par exemple, premier État américain, nous avons introduit en 2002 (grâce à Houghton Mifflin intégrée à Vivendi Universal) un programme de lecture en espagnol, ce programme existant déjà en anglais. Comment, en effet, apprendre en anglais si vous ne parlez pas anglais? C'est encore vrai en France, où l'on constate qu'aujourd'hui, à douze ans, près d'un enfant sur quatre, ne sait pas bien lire.

Nos philosophies républicaines de l'éducation, où la norme est supérieure à l'individu – même éducation, même programme même rythme pour tous – ont vécu! À un socle commun restreint – lire, écrire, compter, parler sa langue et l'anglais, maîtriser l'ordinateur – il faut ajouter une réflexion portant sur les moyens et les méthodes d'accès individuel aux enfants.

Il faut donc s'occuper davantage des enfants que du programme scolaire. Nous devons admettre que tous les enfants n'apprennent pas au même rythme ou de la même façon que les autres. Le rêve démocratique, la même éducation pour tous, est une chimère.

Il faut – avec les professeurs – privilégier les outils de personnalisation de l'enseignement. Des outils, grâce à

279

la numérisation des données, à l'emploi d'Internet et du micro-ordinateur « interactif », qui permettent la mise en place – au sein même de la classe – de processus spécialisés. Ceux qui le peuvent avancent à leur rythme. Cela suppose d'enlever aux enseignants l'aspect le plus routinier de leur travail pour qu'ils disposent de plus de temps pour les enfants qui ont besoin d'eux.

De la même manière qu'au sein d'une famille chaque enfant est élevé « différemment » en fonction de son caractère et de ses besoins propres. D'ici à dix ans, tout enfant devrait pouvoir disposer d'un programme individualisé de formation, rendu possible par des tests préalables et systématiques.

Il faut par ailleurs éviter que les fossés entre pays développés et sous-développés ne s'aggravent au fil des générations du fait d'un accès de plus en plus inégal aux outils de la connaissance, de la formation et de l'éducation. Délivrer Internet pour chaque enfant brésilien avec un programme individualisé, ce n'est pas pour demain. Mais il est essentiel de démultiplier les moyens des Etats, des organisations internationales (type UNESCO) ou de certaines fondations privées, comme celle créée par Bill Gates, le fondateur de Microsoft, et sa femme.

Et il n'est pas nécessaire de créer de la bureaucratie pour cela. Au *World Economic Forum* de New York, en janvier 2002, j'ai introduit une suggestion simple. Puisque toutes les entreprises font du mécénat, qu'elles signent un engagement de « génération » d'au moins dix ans pour consacrer le quart de leurs actions de mécénat à des projets éducatifs, faisant appel aux nouvelles technologies, dans les pays en développement ou dans les zones les plus défavorisées. Personnellement, je poursuivrai, même d'une autre manière cette « croisade » pour cette priorité numéro un qu'est l'éducation afin de donner à tous nos enfants de bonnes chances d'accéder à la connaissance.

Environnement

Réchauffement de la planète. Désordres grandissants de la météo. Pénurie d'eau. Montée des problèmes sanitaires et urbains. Consommation des ressources primaires non renouvelables. Diminution de la diversité des espèces animales. Il ne s'agit pas seulement de peurs, mais de menaces réelles pour la planète, pour les générations futures. Il faut en faire une priorité mondiale, trouver pour cela les bons relais, les armes adéquates pour que les décisions judicieuses soient prises. Pour que les « Sommets de la terre » trouvent enfin la consistance qu'ils n'ont pas et que les décisions prises soient suivies d'effets. C'est possible. Il suffit pour s'en convaincre d'observer la prise de conscience qu'a généré le problème des trous dans la couche d'ozone, il y a maintenant vingt ans : interdiction des vieux aérosols, suppression de certains composants chimiques... Aujourd'hui, il semble qu'ils soient en passe d'être maîtrisés. Ils pourraient même se refermer progressivement à un horizon de cinq ans, si l'on en croit certaines analyses scientifiques. Les victoires, grandes et petites, contre le mal fait à l'environnement sont donc à portée de main.

Pour y parvenir, il faut aussi encourager la mobilisation civile autour de ces sujets. Par l'introduction systématique, dans les programmes scolaires (éducation civique, physique ou sciences de la vie), d'une composante environnement plus forte à la mesure de cette priorité mondiale.

Il faut également mobiliser les adultes, au travers de mouvements associatifs, liés aux ONG non violentes. Seule cette mobilisation convaincra les politiques qu'ils n'ont plus le choix. Pourquoi ne pas demander aux Etats qu'ils consacrent un quart de l'aide au développement à des projets environnementaux, tournés vers l'exploitation de nouvelles ressources, à la création d'infrastructures indispensables avec l'aide des Nations Unies, au développement de projets de vie urbaine – de nombreux territoires étant menacés d'asphyxie – en impliquant les ONG les mieux implantées localement?

Face à la pénurie d'eau potable, la contribution décisive à la couverture des besoins c'est la désalinisation qui permet de transformer l'eau de mer en eau douce et potable. Pour l'agriculture, comme pour l'usage domestique. Les techniques de désalinisation existent. Elles sont malheureusement voraces en énergie et coûteuses, ce qui freine leur développement massif. Or le lancement d'un programme de recherche international sur l'amélioration de la désalinisation de l'eau contribuerait à résoudre ce défi majeur de l'environnement.

Enfin, qui dit mobilisation civile, dit suivi par le citoyen. La plupart des entreprises publient aujourd'hui un rapport environnemental. Pourquoi ne pas contraindre les gouvernements à en faire autant? Il ne s'agit pas de publier des rapports de plusieurs milliers de pages destinés aux parlementaires. Juste un document de quelques dizaines de pages, expliquant simplement les promesses, les actions, les résultats et les projets, qui serait disponibles dans toutes les mairies... et sur Internet.

C'est l'affaire de tous. Pas seulement des juges et des programmes universitaires. C'est un enjeu collectif, qui suppose vraisemblablement une certaine remise en cause de l'équilibre des pouvoirs.

Chacun doit y prendre sa part. Les politiques, qui doivent se mobiliser pour faire disparaître les paradis fiscaux et accepter de remettre en cause leur responsabilité en tant que dirigeants publics. Les ONG, qui doivent accepter la transparence de leurs ressources et de leurs comptes bancaires et que soit mesurée l'efficacité de leurs actions sur le terrain. Les médias qui, compte tenu de leur pouvoir, doivent réfléchir sur leurs responsabilités en cas d'erreur, laquelle peut parfois faire aussi mal qu'une erreur de diagnostic livré par un médecin. Les entreprises, enfin, qui doivent accepter d'être soumises au jugement de leurs pratiques éthiques grâce au développement de « fonds éthiques » n'investissant que dans des entreprises remplissant certaines garanties, y compris dans leur pratique sociale. Il faut, paradoxalement, mettre à profit la « folie » des marchés pour reconquérir cette dimension sociale. Cela ne laisse évidemment que peu de place aux faux-semblants. L'éthique doit être revendiquée et non subie et ne pas se limiter aux rapports avec l'argent. L'éthique est aussi, et tout autant, sociale.

<e>

Le <e> d'internet et des nouvelles technologies. Ne le laissons pas tomber. Il est inscrit dans notre futur. On pensait qu'il s'agirait d'une révolution éclair. C'est en fait une évolution profonde, irréversible et déterminante pour l'avenir de la planète. Il ne faut pas jeter la « Net » économie avec l'eau des « dot-com ». Internet est révolutionnaire puisqu'il permet un nouveau mode d'accès à la connaissance universelle, c'est-à-dire illimitée et immédiate. Il instaure un nouveau rapport au temps. Internet est encore loin d'être domestiqué, mais il permet déjà de nouveaux modes de consommation, de distribution et d'accès à l'information. Autant d'atouts pérennes. Internet introduit, en outre, l'économie du test. On essaie, si ça ne marche pas, on le sait tout de suite, on arrête et on change...

Regardons nos enfants, nos ados, nos « *teen-agers* ». Ils surfent sur le « Net ». C'est déjà une composante de leur vie, de leur quête de savoir. Quand, dans dix ans, nous regarderons dans le rétroviseur, le début des années 2000 ressemblera à une crise d'adolescence. Les adultes les meilleurs sont souvent – pas toujours, certes – ceux qui auront vécu leur crise d'adolescence la plus violente. La lame de fond internet est là. La bulle a été alimentée par les financiers et non les utilisateurs du Net ! Si la « Net » génération a provisoirement disparu de la tête des entreprises, elle reste bien vivace dans la tête de tous les ados du monde.

Adieu, non. Ados, oui !

Alors il faut se préparer pour la suite. Accepter la somme des avantages que procure l'usage du Net, mais aussi en anticiper les risques. Le premier d'entre eux ne réside pas dans la convergence mais dans la divergence : trop d'infos à maîtriser. Comment choisir ou analyser ? Gare au risque de destruction : la facilité d'accès ne doit pas entraîner l'absence de valeur ou de prix. Faute de ces derniers, la création disparaîtra. Les papys ont raison sur ce point : la « Net » économie doit encore perfectionner son modèle économique. Mais elle est bien là!

Voilà ces quelques pistes pour faire en sorte d'assumer cette mondialisation. Finalement de VU à ces réflexions d'avenir qui se veulent profondément optimistes, en cherchant une voie pour dépasser nos difficultés économiques, sociales, politiques ou culturelles, je ne cesse de penser à cette phrase « nous n'héritons pas seulement la terre de nos parents, nous l'empruntons aussi à nos enfants ». Allez, on y va!

Conclusion
De la « Net » à la « papy génération » : devant !

> « Quoique tu rêves d'entreprendre,
> commence-le. L'audace a du génie, du
> pouvoir, de la magie. »
>
> Goethe

De la « Net » génération au retour de la papy-génération... N'est-ce pas le sens de ce qui s'est passé ces derniers mois dans l'univers des médias ? Bien au-delà de Vivendi Universal.

Bill Gates, fondateur de Microsoft, Steve Case, d'AOL et Jerry Yang de Yahoo ! Tous ont quitté leurs fonctions de responsabilité pour se limiter à un simple rôle de conseil dans leur propre entreprise.

L'hécatombe des sociétés internet... ou la défaite d'une vision *libertaire*. Le « tout pour tous, partout, échangeable » devient, en langage capitaliste : échange ne veut pas dire revenus, audience ne signifie pas recettes publicitaires. C'est un cruel retour à la case départ pour 95 % des sociétés internet. Seules, survivent celles qui ont réussi à faire payer leurs services par abonnement, comme AOL, avec un vrai service et un vrai leadership comme E-Bay, USA Interactive et, à un moindre degré, Amazon. Et encore, avec bien des difficultés au quotidien...

Les « géants » n'ont pas échappé non plus au « grand nettoyage ». Tim Koogle, directeur général de Yahoo est parti le premier, victime du « tout internet ». Puis, tout s'est accéléré en ce mois de juillet 2002. Mercredi 3 : mon départ de Vivendi Universal, poussé par une famille et un jeune retraité Claude Bébéar. Jeudi 18 : départ de Bob Pittman, directeur général d'AOL-Time Warner, qui avait repris la charge directe d'AOL. Gerry Levin, ancien PDG de Time Warner et CEO d'AOL-Time Warner, l'avait précédé de quelques mois, poussé par un « papy » flamboyant : Ted Turner. Dimanche 28 : départ de Thomas Middelhoff, le patron quadra de Bertelsmann, poussé par G. Möhn du haut de ses quatre-vingts ans passés.

Au total, un vrai tremblement de terre. Du rarement vu au sein d'une même industrie.

Au-delà des histoires spécifiques de chacun de ces trois géants, on trouve un même phénomène, de peur, d'angoisse devant l'avenir. Les métiers de la communication et des médias ont été l'un des eldorados du XXe siècle. Ils ont permis la constitution de fortunes individuelles fabuleuses : de Turner à Malone, de Murdoch à Redstone...

Avec les possibilités quasi illimitées de l'internet, le développement du haut débit (tout en libre-service à la maison, en permanence), la génération loisirs (réduction du temps de travail, ouverture de nouveaux marchés géographiques) et les besoins en éducation, ces industries de l'entertainment apparaissent au tournant du siècle comme la promesse d'un eldorado « millénaire » ?

Ils étaient finalement rares ceux qui, avec beaucoup de bon sens, tel l'Américain Warren Buffet n'avait pas hésité à dire, au risque de paraître... « pas dans le coup » : « Moi, la nouvelle économie, je n'y comprends rien. Dans le doute, je n'y vais pas. »

Au même moment, la mondialisation est en train d'accoucher d'une société de la peur. La diffusion instantanée de l'information, souvent sans analyse ni recul, accentue les inquiétudes et crée des phénomènes de méfiance, instinctive ou raisonnée.

C'est dans ce contexte nouveau, sans repère historique, que les « papys des médias » ont pris peur. Ils ont préféré sacrifier une génération de dirigeants et leur vision du futur au profit de stratégies, « frileuses », de « démantèlement », gelant les initiatives en espérant ainsi limiter les risques, la casse, au moins à court terme. Plutôt que « Retour vers le futur », ils nous jouent « Ci-devant le passé » !

Peut-être ont-ils raison à court terme. C'est sûrement le cas d'ailleurs. Les cours des valeurs de médias remonteront. Les « papys actionnaires » seront rassurés et pourront s'attribuer la responsabilité et le bénéfice de cette réussite patrimoniale.

Soit. La « Net » génération paie le prix de la crise du capitalisme. Elle paie la facture d'une trop grande accélération du risque d'entreprise. Messier quitte Vivendi Universal parce que les marchés l'ont pris à contre-pied, au moment le plus crucial, le plus fragile. Levin et Pittman sont partis parce qu'on ne croit plus à internet et à AOL, ni aux bénéfices de la convergence. Middelhoff paie sa stratégie visant à conduire Bertelsmann en bourse pour jouer le jeu de la concurrence, stratégie jugée trop audacieuse...

Et après ? Les actionnaires et l'environnement français peuvent essayer de prendre Vivendi Universal en otage et d'en faire le bouc émissaire de leurs malheurs et de leurs peurs, feignant d'ignorer les inévitables à-coups du gouvernement d'entreprise, oubliant que les actionnaires de France Telecom ont perdu plus encore, et que ceux d'Axa ont perdu presque autant... Les marchés peuvent essayer de faire d'AOL-Time Warner le bouc émissaire des grandes fusions... Le capitalisme familial et l'*establishment* allemand peuvent transformer Bertelsmann en temple de la résistance au marché et à l'actionnariat large, en parangon de la gestion frileuse.

Peut-on ainsi préparer l'avenir ? Les nouvelles technologies, leur potentiel commercial comme leurs capacités dévastatrices à l'égard des modes traditionnels de distribution ou de propriété intellectuelle, seront-elles stoppées pour autant ? Non. Elles seront freinées tout au plus.

Tourné vers l'avenir, Jean Cocteau écrivait : « L'avenir n'appartient à personne. Il n'y a pas de précurseurs, il n'existe que des retardataires. » C'est un peu la morale provisoire de cette histoire. Mais on ne peut pas en rester là. Pris dans ce mouvement, il me faut aussi me tourner vers cet avenir. La page est vierge ! Il faut regarder devant.

Ma première vie professionnelle fut publique. Ce que j'en ai préféré : les deux années, de 1986 à 1988, où, auprès d'Edouard Balladur, je fus chargé des privatisations. Parce que la France a formidablement bougé durant cette courte période : les premières privatisations, la fin du contrôle des prix, l'ouverture internationale... J'aime la France qui bouge !

La privatisation, c'était une véritable entreprise. Certes, des références existaient à l'étranger, mais il fallait tout inventer en France. J'ai aimé bâtir cette aventure-là et mener son équipe à une vraie réussite.

Ma deuxième vie professionnelle fut celle d'un banquier d'affaires. Plus jeune associé-gérant de la banque Lazard, j'ai adoré ces six années de conseil, entre 1988 et 1994 principalement consacrées au développement d'entreprises françaises et américaines. J'y ai beaucoup appris dans l'art de la négociation.

Mais de cette vie chez Lazard, mon souvenir le plus passionné est celui de la gestion du fonds d'investissement Partenaires. Parce qu'il a fallu le bâtir, à partir de rien, puis le gérer au travers de partenariats avec des PME ou de « petites grandes » entreprises dont nous devenions les premiers actionnaires. Cette relation d'entrepreneur avec d'autres entrepreneurs me résume assez bien.

Puis, à partir de 1994, ce fut Vivendi Universal, troisième page de mon histoire personnelle. Le plus prégnant de ces huit années si pleines, si cannibalisatrices de toute autre vie ? Bien sûr la relation avec les équipes, talents et créateurs. La satisfaction d'avoir révélé de grands talents de dirigeants comme Agnès Touraine ou Philippe Germond, d'en avoir côtoyé et construit avec d'autres comme Doug Morris ou Barry Diller... La chance unique de pouvoir bâtir un groupe de médias et de communication, de culture, complètement imprégné de notre diversité culturelle, complètement dédié à la promouvoir. Parce que c'est le sens du monde. Au fond de moi, une voix dit que cette description est imparfaite. Car au-delà de cette ambition globale d'entrepreneur, l'une de mes plus intenses satisfactions a été la création, en 1996, de Cegetel, l'entreprise, au sein de Vivendi Universal, que j'ai portée sur les fonts baptismaux. D'un embryon, composé trop exclusivement d'ingénieurs, nous avons fait un vrai groupe de télécommunications. Nous avons pris le temps nécessaire, car le succès se construit dans la durée. Personne ne peut nier, aujourd'hui, le succès de cette superbe aventure industrielle, peut-être l'une des plus belles du capitalisme français. Six ans seulement, neuf mille personnes employées, quinze millions de clients en France, 7 milliards d'euros de chiffre d'affaires, les plus belles marges en Europe et quasiment zéro dette.

Alors, lorsque je regarde devant moi, j'entrevois plusieurs routes possibles. Même les souvenirs les plus cuisants y trouveront, j'en suis certain, leur utilité. Je ne sais pas très bien encore ni le pays (des deux côtés de l'Atlantique sans doute), ni le métier, ni les partenaires, ni les opportunités vers lesquels je vais me tourner. Mais c'est la dimension d'entrepreneur et de bâtisseur qui m'inspire le plus, quel qu'en soit le point d'application, à la tête d'une entreprise, comme conseil ou comme investisseur.

Cette rupture est aussi une chance. Trois hommes : Balladur, David-Weill, Dejouany m'ont donné une vie et un projet chacun. Que cette rupture soit l'occasion de bâtir une aventure que le cours normal des choses ne m'aurait pas permis de vivre. Cette quatrième vie sera mienne à n'en pas douter. J'ai choisi de repartir de zéro, de bâtir mon projet, étape par étape, brique par brique. Avec enthousiasme.

Face au revers que chaque vie subit, la seule revanche qui vaille, c'est le succès.

Épilogue

Pour Annick, Karine... et tous les autres.

4 juillet 2002. Pas seulement la fête nationale américaine, celle de l'Independance Day. Pour moi, c'est encore le choc.

En rentrant pour le dîner, ma fille aînée – nous sommes trois à Paris ce soir-là avec mon épouse – me dit :

« Une dame a téléphoné pour te souhaiter bonne chance, c'est Catherine, je n'ai pas très bien compris son nom de famille. »

Je lui explique :

« Catherine, que je n'ai pas eue au téléphone depuis plusieurs années, est la maman de Flavie. Flavie est morte, très jeune, il y a six ans, d'une forme de leucémie je crois. Elle aimait la vie. Elle aimait les autres. Elle leur donnait une immense tendresse. Je l'avais rencontré au début des années 80, chez les jeunes giscardiens. J'aimais

293

parler avec elle, déjeuner, rire. Nous sommes restés amis jusqu'à la fin de sa maladie. »

J'ai ensuite sorti un petit carton, que je conserve toujours dans mon portefeuille, avec un trèfle à quatre feuilles collé, une main dessinée, et ces mots : « porte-bonheur : 26 avril 1995. »

Et j'ai continué :

« Le seul vrai drame c'est la mort prématurée de quelqu'un de proche. Finalement, toutes les autres épreuves, quelles que soient leur violence, leur longueur, leur injustice, doivent nous rappeler qu'en face du drame de la mort prématurée, rien ne compte vraiment. »

La mort prématurée d'une sœur handicapée, puis celle d'une nièce ont plus compté dans le regard que je porte sur moi-même, sur la vie, que tout autre événement.

Je crois que je suis croyant.

Je ne sais pas en quoi exactement.

Sans doute pas exactement à ce que l'on m'a appris, enfant, au catéchisme !

.. Je ne sais pas trop bien quoi attendre. Mais je connais la raison pour laquelle nous sommes sur cette terre. Il y a toujours, quel que soit le projet de vie personnelle, professionnelle, ou les difficultés rencontrées, quelqu'un auprès de soi, ou quelques-uns, à qui faire partager un peu d'espoir, d'amitié ou d'amour.

J'aime la vie, quels qu'en soient les détours parfois cruels. J'adore mes enfants, dont j'espère qu'ils porteront haut et fort, enthousiasme et respect mutuel. Mais en plus de cette « salve d'avenir », évoquée par René Char, qu'ils représentent si bien, je voudrais aussi dédier ces réflexions optimistes pour certaines, plus inquiétantes pour d'autres, résolument tournées vers l'avenir en tout cas, à la mémoire de tous ceux qui ont été injustement privés du temps pour exprimer leurs émotions, leurs projets, leur amour.

Pour Annick, Karine... et tous les autres.

À Paris, le 1ᵉʳ octobre 2002.

Remerciements

Merci à ma femme Antoinette qui a accompagné ces vingt dernières années les hauts et les bas de ma vie avec simplicité, énergie, bon sens et amour. Ainsi qu'à mes cinq enfants Anne-Laure, Claire-Marie, Jean-Baptiste, Nicolas et Pierre qui ont suivi « l'accouchement » de ce livre avec tendresse.

Merci à mes amis fidèles, et proches qui remplissent ma vie. De celles ou ceux opposés à la parution de ce livre « pour que tu n'en prennes pas une fois de plus plein la figure médiatique », à celles ou ceux qui la souhaitaient « pour rétablir ta part de vérité, notamment humaine ». Vous comptez tellement pour moi.

Merci à Denis Bourgeois qui, au nom de Balland, a pris en un instant la décision de publier ce livre au moment du renoncement d'un confrère.

Merci à Yves Messarovitch qui a compris l'importance de ce témoignage et m'a aidé à le concrétiser. Je voudrais lui laisser la parole.

Un témoignage

Pourquoi participer à ce livre? La question eut paru incongrue il y a un an encore alors que Jean-Marie Messier était à son zénith. Depuis, il a dû quitter ses fonctions. Ceux-là mêmes qui l'avaient encensés au cours des six dernières années — banquiers, médias analystes financiers — le rejettent aujourd'hui. Pire, l'homme est à terre. Ils lui tirent dessus. Ce sera sans moi.

Parce que je connais Messier depuis plusieurs années, parce que je l'ai vu « grandir », se hisser au sommet de la réussite, parce que, aussi, j'ai observé, comme tant d'autres, ses dérapages, notamment médiatiques, j'ai voulu comprendre l'enchaînement des faits qui avait provoqué sa chute et contribuer à en expliquer, le plus clairement possible, l'implacable mécanique, convaincu que « J2M » rebondira, sans doute « ailleurs » et « autrement », car l'homme n'a rien perdu de sa brillance et de sa puissance de travail.

Mon apport, qui ne me vaudra pas que des amis, permettra, je l'espère, d'aider à clarifier cet invraisemblable retournement qui a appauvri des centaines de milliers d'actionnaires.

Comme ami, je suis solidaire de Messier pour ce qu'il offre de meilleur.

Comme journaliste, je suis solidaire des lecteurs pour ce qu'ils réclament de transparence et de vérité.

Y.M.

ANNEXES

1. Lettre aux salariés de Vivendi Universal (Chapitre I, page 29) :

« *Afin de ramener la sérénité dans et autour de Vivendi Universal, j'ai décidé de me retirer. C'est un véritable déchirement personnel : ce groupe, je l'ai voulu, je l'ai construit, parce que j'y crois. Et je continue à y croire.*

Je pars pour que Vivendi Universal reste.

Je m'efface, le cœur déchiré, dans l'espoir que s'apaisent ainsi les divisions de notre Conseil d'administration et les soupçons permanents du marché.

Vivendi Universal doit continuer à exister. Des cessions partielles sont nécessaires, mais l'essentiel doit être préservé : un grand groupe de médias et de communication, le seul groupe réellement global et multiculturel.

Celui qui dispose de la plus formidable capacité à détecter, éditer et diffuser les talents, tous les talents.

Dans une stratégie, il y a trois matières premières : la vision, les ressources et le temps.

* La vision de Vivendi Universal est d'abord d'être leader mondial dans les contenus, qu'il s'agisse de musique, de films ou de programmes audiovisuels, de littérature, d'éducation, de jeux, tout en disposant de capacités régionales fortes dans la distribution et d'un accès direct au consommateur. La force première de Vivendi Universal est la création de contenus et notre relation exceptionnelle avec les créateurs. Cette relation de confiance et de respect est capitale. Tout doit être fait pour la préserver.

* Les ressources humaines et financières. Vivendi Universal a les meilleures équipes opérationnelles, en Europe comme aux États-Unis. Je ne le dis pas par flatterie, je le dis parce que j'ai pu en faire l'expérience chaque jour. Travailler avec des talents de ce calibre a été pour moi un bonheur et une fierté, que rien ne m'enlèvera.

Quant aux ressources financières, Vivendi Universal a commencé l'année 2002 avec un endettement lourd qui provient de plusieurs sources : Canal+ (5 milliards d'euros) ; achat d'Houghton Mifflin (2,5 milliards d'euros) ; télécoms hors de France (3,5 milliards d'euros) ; renforcement aux États-Unis de nos activités télévision et film (EchoStar, USA Networks : 3,5 milliards d'euros) ; et enfin rachat de nos propres actions (3 milliards d'euros). Cette dette ne provient pas d'opérations " douteuses " ou de risques cachés. Elle est la contrepartie de choix de développement en faveur des métiers de Vivendi Universal, en faveur de nos métiers. Nous sommes peut-être allés trop vite, trop fort. Mais nous avons déjà commencé à corriger le tir en accélérant notre désendettement.

* Reste le temps. Or le temps, c'est ce dont nous prive la débâcle généralisée des valeurs de communication. C'est en tout cas ce dont je suis personnellement privé.

Mon vœu le plus cher est que mon successeur dispose, lui, d'un peu de temps et de sérénité. Une stratégie ne se juge pas sur un ou deux ans, l'âge de Vivendi Universal. Elle se juge sur la durée. Une fois le groupe libéré de sa dette à court terme, de la division du Conseil et de l'acharnement médiatique contre son Président, je souhaite de tout cœur que notre titre remonte aux niveaux qu'il mérite.

Toutes mes pensées vont aux salariés de Vivendi Universal. Eux savent la valeur du travail qui se fait au quotidien dans tous nos métiers. C'est pour eux que j'ai souhaité me battre jusqu'au bout.

Je souhaite aussi très ardemment que puisse être maintenu le caractère exceptionnel du groupe : sa double dimension franco-américaine. J'ai pu en mesurer les difficultés. Je sais aussi que c'est notre force. L'avenir de nos sociétés ne se joue pas sur la technologie mais sur la culture au sens large. Constituer le seul ensemble réellement multiculturel, c'est le défi et la grandeur de Vivendi Universal. Créer de grandes productions à vocation universelle, mais aussi des œuvres locales, ou des œuvres difficiles pour un public ciblé : aucun autre groupe de contenus ne sait le faire mieux que Vivendi Universal.

Des erreurs ont été commises, elles peuvent toutes être corrigées, et j'avais commencé à le faire. Mais à mes yeux, la seule erreur qui ne serait pas rattrapable, celle qui serait sans retour en arrière possible, serait de casser ce groupe dans ses métiers centraux.

Je quitte Vivendi Universal avec une infinie tristesse.

Je quitte Vivendi Universal pour que Vivendi Universal demeure.

Parce que Vivendi Universal est quelque chose de plus grand que nous, une grande ambition qui mérite de réussir et qui peut réussir si chacun le veut.

À tous ceux avec qui j'ai eu l'immense honneur et plaisir de travailler, à ceux que je n'ai pas rencontrés mais dont je connais la passion et l'engagement, je dis merci, je dis continuez, je dis bonne chance.

Très sincèrement à chacun,

Jean-Marie Messier »

2. Messages et témoignages (Chapitres VI) :
Pour avoir vu à l'œuvre un certain archaïsme français, où les politiques cherchent à intervenir de façon continue, flagrante et même choquante dans la vision et la direction d'un groupe privé, je ne résiste pas, pour finir, à la tentation d'évoquer quelques témoignages reçus au début de l'été. Voyez plutôt!

Bon courage, la France a besoin de vous!

« Monsieur Messier
En tant que Français expatrié à Londres depuis de nombreuses années par réaction contre l'immobilisme du système français, votre aventure ne me laisse pas indifférent.

L'intervention des plus hauts personnages de l'État dans une entreprise à 100 % privée me choque. Elle discrédite notre pays, est inutile et distrait nos dirigeants des dossiers

brûlants pour lesquels ils ont été élus. De surcroît, l'inter-
vention d'acteurs privés extérieurs à votre conseil d'adminis-
tration est également choquante. Elle démontre à quel point
un groupe français, si puissant et si international soit-il, ne
peut s'affranchir du réseau inextricable des intérêts croisés.

Votre trajectoire a représenté un espoir pour les gens
comme moi qui veulent que la France cesse d'être un village
gaulois replié sur les monopoles et son conformisme. Ne déce-
vez pas cet espoir.

De grâce, ne devenez pas un G..., un C..., un B... et la
liste est longue! Continuez à entreprendre, avec vos propres
capitaux, votre entreprise, votre vision, vos projets, vos succès
et vos échecs. Repartez de zéro, en France ou ailleurs, et
prouvez que vous n'êtes pas arrivé à la tête de VU parce que
vous avez des diplômes, parce que vous avez été dans les
ministères, mais parce que vous avez l'envergure des Mur-
doch, des Welch... la liste est moins longue. »

Et ces réactions n'émanent pas seulement des expa-
triés!

Tête haute

« Il leur fallait un bouc-émissaire, emblème de la réussite
à la française, celle qui fait honte, cette honte de gagner de
l'argent, cette honte d'innover, de faire bouger les choses dans
un pays sclérosé par l'inertie intellectuelle. Pourquoi diable
vouloir tirer la France vers le haut puisqu'elle est tellement
fière d'être en bas!

Partir de rien et devenir en 5 ans, à la barbe des Améri-
cains, le numéro un mondial de l'entertainment. Je dois
vous féliciter, vous et votre action. Vous avez certes joué de
votre image avec un média que vous avez appris à connaître
à vos dépens.

Vous remettez votre démission la tête haute d'avoir essayé, devant cette France aux abois, une meute perdue sans repère idéologique qui cherche sans conviction à détruire ce qu'elle craint.

À l'heure où la France part en vacances, au lendemain d'un cauchemar présidentiel trop vite oublié, l'arrière-garde veille, cette arrière-garde qui vous jette en pâture.

Chers Français, vous pouvez fermer vos rideaux, éteindre vos lumières, revenir à vos programmes télé, l'ennemi est parti. Qu'il est confortable de contempler l'échec des autres pour mieux en oublier le vôtre.

Ce n'est pas vous, Jean-Marie, qui partez aujourd'hui mais tous ceux qui comme moi, ont cru que notre pays pouvait changer. »

Un dernier, résumant en une phrase nombre des témoignages reçus.

Pauvre France

« Monsieur MESSIER,
Je plains ce pays qui n'arrête pas de cracher sur les gens qui travaillent, sur les gens qui font des efforts, qui prennent des risques, et qui osent rêver. »

Table

Cet ouvrage a été réalisé par

FIRMIN DIDOT
GROUPE CPI
Mesnil-sur-l'Estrée

*pour le compte des Éditions Balland
en novembre 2002*

Imprimé en France
Dépôt légal : novembre 2002
N° d'impression : 61728
ISBN : 2-7158-1441-0
935-829-8